DEUTSCH ALS FREMDSPRACHE NIVEAUSTUFE A2/1

TANGRAM aktuell 2

Lektion 1–4

▶ **Kursbuch + Arbeitsbuch**

von

Rosa-Maria Dallapiazza

Eduard von Jan

Til Schönherr

unter Mitarbeit von

Jutta Orth-Chambah

Max Hueber Verlag

Beratung:
Ina Alke, Roland Fischer, Franziska Fuchs, Helga Heinicke-Krabbe,
Dieter Maenner, Gary McAllen, Angelika Wohlleben

Phonetische Beratung:
Evelyn Frey

Mitarbeit an der Tangram aktuell-Bearbeitung:
Anja Schümann

Beratung für die Tangram aktuell-Bearbeitung:
Axel Grimpe, Goethe-Institut Tokyo
Andreas Werle, Goethe-Institut Madrid

Unserer besonderer Dank gilt dem MGB, Koordinationsstelle der Migros Klubschulen, Zürich, Schweiz für die freundliche Überlassung einzelner Teile aus Lingua 21, der Klubschuladaption von Tangram, insbesondere von Inhalten aus dem Referenzbuch.

3. 2. | Die letzten Ziffern
2009 08 07 06 | bezeichnen Zahl und Jahr des Druckes.
Alle Drucke dieser Auflage können, da unverändert, nebeneinander benutzt werden.
1. Auflage

Zeichnungen: Lyonn
Verlagsredaktion: Silke Hilpert, Werner Bönzli, Veronika Kirschstein
Produktmanagement und Herstellung: Astrid Hansen
Satz, Druck und Bindung: Ludwig Auer GmbH, Donauwörth
Printed in Germany
ISBN 3-19-001816-2

Vorwort

Liebe Leserin, lieber Leser,

die Unterrichtspraxis hat gezeigt, dass Lernende mit Tangram sehr schnell in der Lage sind, die neue Sprache aktiv und kreativ anzuwenden. Dies freut uns ganz besonders, haben wir doch damit wesentliche Ziele des Gemeinsamen Europäischen Referenzrahmens erreicht: kommunikative Kompetenz und sprachliche Handlungsfähigkeit der Sprachlernenden.

→ Was ist neu an TANGRAM aktuell?

Im Hinblick auf die im Referenzrahmen beschriebenen Kompetenzniveaus erscheint TANGRAM aktuell nun in **sechs Bänden**:
Je zwei kurze Bände führen zu den Niveaus A1, A2 und B1. Jede Niveaustufe wird mit einer intensiven Vorbereitung auf die Prüfungen *Start Deutsch 1* und *2* bzw. das *Zertifikat Deutsch* abgeschlossen.
Erfahrungen aus dem Unterricht wurden in TANGRAM aktuell aufgegriffen und umgesetzt.

Dabei bleibt das bewährte Konzept im **Kursbuch** erhalten:

- Authentische Hör- und Lesetexte sowie vielfältige Übungen orientieren sich an **lebendiger und authentischer Alltagssprache** und fordern zur kreativen Auseinandersetzung mit den Inhalten heraus.
- Neue Strukturen werden nach dem **Prinzip der gelenkten Selbstentdeckung** herausgearbeitet: Mittels einer induktiven und kleinschrittigen Grammatikarbeit werden die Lernenden dazu befähigt, sprachliche Strukturen und Gesetzmäßigkeiten zu reflektieren und selbst zu erschließen.
- Die **phonetische Kompetenz** der Lernenden wird durch eine Mischung imitativer, kognitiver und kommunikativer Elemente von Anfang an aufgebaut.
- **Lieder**, **Raps** und **Reime** trainieren Aussprache und Intonation auf kreativ-spielerische Weise.

Das **Arbeitsbuch** präsentiert sich mit neuem Konzept:

- Zahlreiche Struktur- und Wortschatzübungen sowie viele kommunikativ-kreative Aufgaben bilden ein breites Spektrum. Im Vordergrund steht dabei das selbstständige Arbeiten zu Hause.
- Die Lernenden können Hörverstehen und Phonetik eigenständig trainieren, da die Audio-CD ins Buch integriert ist.
- Selbsttests geben den Lernenden die Möglichkeit zur selbstständigen Lernkontrolle.
- In jeder Lektion können die Lernenden ihren Lernfortschritt nach den „Kann-Beschreibungen" des Referenzrahmens (selbst) evaluieren.
- Der komplette Lernwortschatz zu den einzelnen Lektionen und den Prüfungen erleichtert ein gezieltes Vokabeltraining.

Wir hoffen, dass es uns gelungen ist, mit TANGRAM aktuell weiterhin das Lehren und Lernen der deutschen Sprache zu einem interessanten, bunten und erfolgreichen Erlebnis zu machen, und Sie beim Erreichen der einzelnen Niveaustufen optimal zu unterstützen.

Autoren und Verlag

Inhalt Kursbuch

Lektion

1 *Junge Leute von heute* — Seite 1

Kommunikation
über Wohnsituationen sprechen ◆ über seine Kindheit und Jugend berichten ◆ etwas erklären ◆ Überraschung und Wut ausdrücken

Der Ton macht die Musik
Wie konntet ihr nur! *11*

Zwischen den Zeilen
Umgangssprache *10*

Grammatik
weil und *obwohl*; Präteritum von *sein, haben* und *werden*; Präteritum der Modalverben

Wortfeld
Wohnformen; von zu Hause ausziehen

Lerntechnik
Lese-Raten

Lektion

2 *Urlaub und Reisen* — Seite 13

Kommunikation
über Urlaub sprechen ◆ sagen, wie man etwas findet ◆ über Deutschland/das Heimatland sprechen

Der Ton macht die Musik
Der Perfekt-Hamburg-Trip-Rap *24*

Zwischen den Zeilen
ein bisschen, ewas, ziemlich, ganz schön, sehr, wirklich, ganz 19

Grammatik
Perfekt (2): mit *haben* und *sein*, Partizip Perfekt der trennbaren und nicht-trennbaren Verben und der Verben auf *-ieren*; Fragen mit *Welch-*

Wortfeld
Urlaub; Reisen; Deutschland

Projekt
Reisebüro *24*

Lektion

3 *„Gesundheit!" – „Danke!"* — Seite 27

Kommunikation
über gesundheitliche Beschwerden sprechen ◆ beim Arzt ◆ Ratschläge geben ◆ über Ernährung und Essgewohnheiten sprechen

Der Ton macht die Musik
„Currywurst" von *Herbert Grönemeyer 36*

Zwischen den Zeilen
wenn oder *wann*? *35*

Grammatik
Ratschläge mit *sollt-*; Komparativ und Superlativ; *wenn-* und *dass*-Sätze

Wortfeld
Körper; Gesundheit; Ernährung; Speisen und Getränke

Projekt
Sprechen Sie so oft wie möglich Deutsch *39*

Lektion

4 *Farben und Typen* — Seite 41

Kommunikation
über Farben und Kleidung sprechen ◆ Kleider einkaufen ◆ Klischees und Vorurteile

Der Ton macht die Musik
„Tabu" von *Pe Werner 51*

Zwischen den Zeilen
Farbidiomatik *50*

Grammatik
Adjektiv-Deklination im Nominativ, Akkusativ und Dativ; Fragen mit *Was für ein* und *Welch-*; Verben mit Dativ

Wortfeld
Farben; Typen; Kleidung

Zwischenspiel

Vier gewinnt: Länderspiel — Seite 53

Inhalt Arbeitsbuch

Lektion 1 **Junge Leute von heute** — Seite 59

Aufgaben und Übungen

Zwischen den Zeilen
Zwischen „Ja“ und „Nein“ *67*

Phonetik
Die Nasale „n“/„-ng“; Aussprache von „-ng“ und „-nk“ *68*

Lerntechnik
Adjektive mit der Vorsilbe „un-“ *61*

Testen Sie sich! *69*
Selbstkontrolle *70*
Lernwortschatz *71*

Lektion 2 **Urlaub und Reisen** — Seite 73

Aufgaben und Übungen

Zwischen den Zeilen
Komposita *78*

Phonetik
„s“-Laute „s“/„ß“/„sch“; Aussprache von „st“ und „sp“ *83*

Testen Sie sich! *85*
Selbstkontrolle *86*
Lernwortschatz *87*

Lektion 3 **„Gesundheit!“ – „Danke!“** — Seite 89

Aufgaben und Übungen

Zwischen den Zeilen
Wortbildung: die „Heit-ung-keit“ *96*

Phonetik
„ch“-Laute; Aussprache von „ich“ und „ach“ *97*

Testen Sie sich! *99*
Selbstkontrolle *100*
Lernwortschatz *101*

Lektion 4 **Farben und Typen** — Seite 103

Aufgaben und Übungen

Zwischen den Zeilen
Adjektive mit „-lich“ und „-ig“ *112*

Phonetik
konsonantisches und vokalisches „r“ *113*

Testen Sie sich! *115*
Selbstkontrolle *116*
Lernwortschatz *117*

Anhang

Lösungsschlüssel zum Arbeitsbuch **Seite 119–121**

Grammatik **Seite 123–151**

Quellenverzeichnis **Seite 152**

Piktogramme

Text auf Kassette und CD mit Haltepunkt

Schreiben

Wörterbuch

Hinweis auf das Arbeitsbuch

KURSBUCH B 1–B 2 Hinweis auf das Kursbuch

Regel

§ 2 Hinweis auf Grammatikanhang

Junge Leute von heute

LEKTION 1

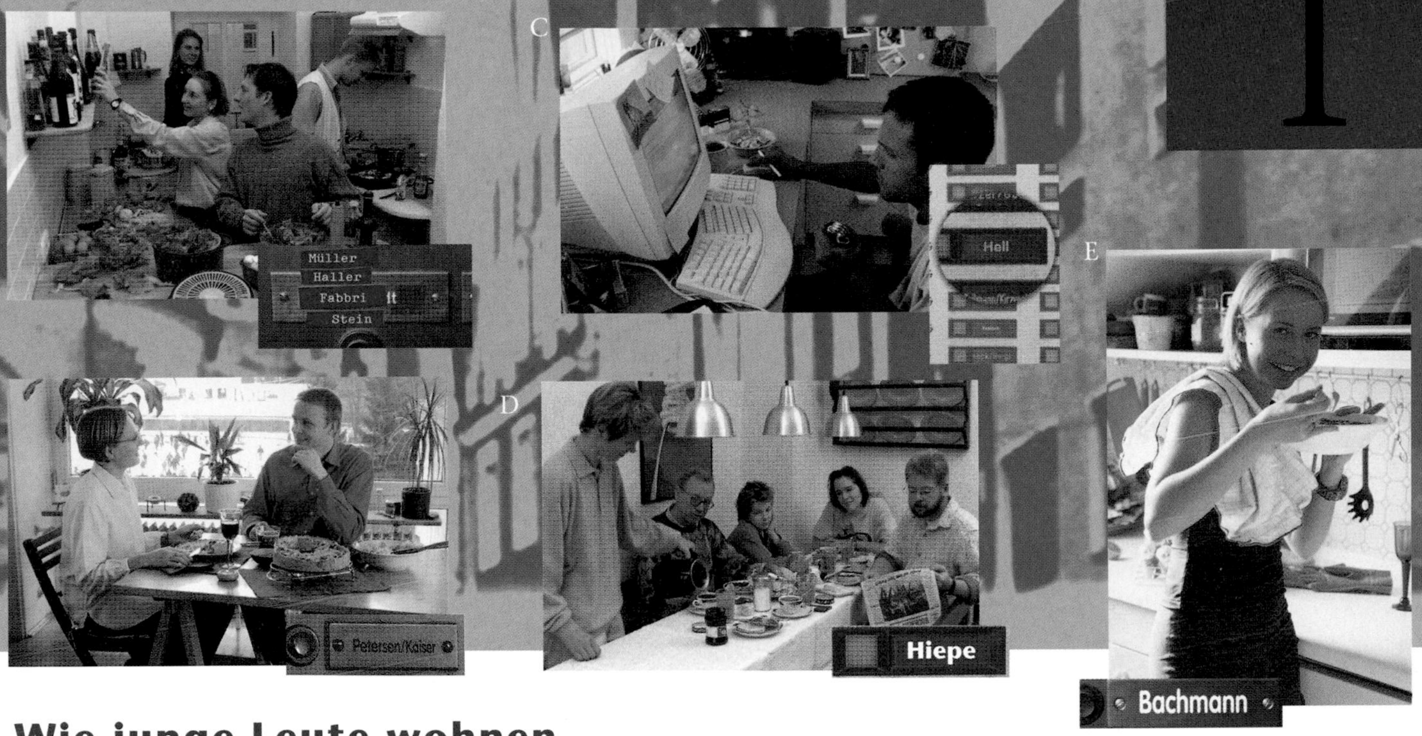

A Wie junge Leute wohnen

A 1 Sprechen Sie über die Bilder.

■ *Auf Bild A sind vier junge Leute.* ↘ *Sie sind in der Küche.* ↘

● *Vielleicht machen sie eine Party.* ↘

▲ *Aber an der Klingel stehen vier Namen.* ↘

▼ *Ich glaube,* → *das sind Studenten.* ↘ *Sie wohnen zusammen* → *und kochen gerade.* ↘

A 2 Welche Aussagen passen zu welchen Bildern? Markieren Sie.

1 Ich komme aus Hannover. Seit zwei Jahren studiere ich hier in Berlin. Ich habe ein Zimmer im Studentenwohnheim.

2 Wir kennen uns jetzt seit vier Jahren und verstehen uns sehr gut. Seit zwei Jahren wohnen wir auch zusammen.

3 Ich bin 21 und wohne seit acht Monaten mit drei Freunden zusammen. Das ist toll, bei uns ist immer etwas los.

4 Ich bin 17 und wohne noch bei meinen Eltern. Nächstes Jahr bin ich mit meiner Lehre fertig, vielleicht ziehe ich dann aus. Ich hoffe, ich bekomme gleich eine Arbeit und kann genug Geld verdienen. Eine eigene Wohnung ist nämlich ziemlich teuer.

5 Ich bin 26 und arbeite als Reisekauffrau. Seit vier Jahren wohne ich nicht mehr bei meinen Eltern, sondern allein in einer kleinen Zweizimmerwohnung.

Text	Bild
1	C
2	
3	
4	
5	

Wie wohnen Sie, Ihre Kinder, Ihre Freunde, Ihre Nachbarn?

■ *Ich bin Studentin.* ↘ *Ich wohne im Studentenwohnheim.* ↘

● *Und ich wohne bei meinen Eltern.* ↘

ARBEITSBUCH 1–2

A 3 Lesen Sie die Überschrift. Was meinen Sie: Was steht im Text?

Zu Hause ist es doch **am schönsten!**

Der neue Trend: Jugendliche wohnen länger bei den Eltern

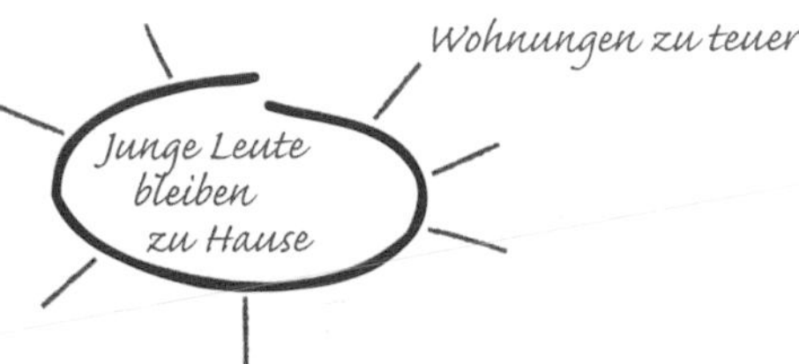

A 4 **Lesen Sie den Text und machen Sie Notizen. Vergleichen Sie die Informationen mit Ihren Vermutungen.**

Zu Hause ist es doch **am schönsten!**

Der neue Trend: Jugendliche wohnen länger bei den Eltern

Immer mehr junge Leute bleiben im Elternhaus, obwohl sie schon lange arbeiten und Geld verdienen. Zum Beispiel die 23-Jährigen: Heute (2004) leben 64% noch bei ihren Eltern, 1975 waren es nur 15%. Sind Twens von heute zu bequem und zu anspruchsvoll? Haben sie Angst vor der Unabhängigkeit oder kein Geld für eine eigene Wohnung?

– junge Leute im Elternhaus ↔ arbeiten, Geld verdienen

– 23-Jährige: bei Eltern 64% (2004), 15% (1975)

In den 70er-Jahren war die Wohngemeinschaft (kurz: WG) bei jungen Erwachsenen sehr beliebt. Man wollte weg von zu Hause, mit anderen jungen Leuten zusammenwohnen, anders leben als die Eltern. Große Wohnungen waren zwar teuer, aber zu viert oder zu fünft konnte man die Miete gut bezahlen. Heute ist die WG für die meisten keine Alternative mehr, weil WG für viele nur Chaos und Streit um die Hausarbeiten bedeutet. Und eine eigene Wohnung mieten, alleine wohnen? Die meisten sind unsicher, obwohl sie gerne unabhängig sein wollen.

– WG: in 70er-Jahren beliebt, anders leben, Miete günstig

– WG heute: keine Alternative ← Chaos und Streit

Vor allem in den Großstädten sind Wohnungen sehr teuer – für Lehrlinge und Studenten oft zu teuer. Also bleiben die meisten jungen Leute zu Hause, bis sie ihre Lehre oder ihr Studium beendet haben. Und auch danach führt der Weg nicht automatisch in die eigene Wohnung, weil viele nach der Ausbildung keine Arbeit finden.

Einige junge Erwachsene ziehen aus, kommen aber bald zu ihren Eltern zurück, weil sie arbeitslos werden, weil sie ihre Wohnung nicht mehr bezahlen können oder weil sie Probleme mit dem Alleinsein haben.

Natürlich gibt es auch junge Leute, die gar nicht ausziehen wollen. Sie bleiben im Elternhaus, obwohl sie genug Geld für eine eigene Wohnung haben. Das meistens kostenlose Wohnen bei den Eltern ist attraktiv, weil sie so z. B. ein eigenes Auto haben können. Sie genießen den „Rund-um-die-Uhr-Service" und müssen keine Hausarbeiten machen. Und dann ist da immer jemand, der zuhört und hilft, wenn man Probleme hat.

Lerntipp:

Üben Sie Lese-Raten: Nehmen Sie ein Blatt Papier, legen Sie es auf den Text und verstecken Sie so einen Teil der Textzeile.

Vor allem in den Großstädten sind Wohnungen sehr teuer –

Versuchen Sie jetzt die Wörter zu raten und den Satz zu lesen. Vergleichen Sie dann mit dem kompletten Satz (ohne Blatt). Welche Wörter sind einfach, welche sind schwierig? Trainieren Sie Lese-Raten immer wieder.

Mit Lese-Raten lesen Sie bald wie ein Profi.

A 5 **Unterstreichen Sie alle „weil"- und „obwohl"-Sätze im Text von A 4.**

Schreiben Sie die Gründe („weil"-Sätze) in die Liste.

Hauptsatz, Aussage 1	**Nebensatz** **weil** + Aussage 2 ← Grund			
		Subjekt	(...)	**Verb(en)**
...,	**weil**	WG	für viele nur Chaos und Streit um die Hausarbeiten	bedeutet.

..., *weil* *viele Jugendliche nach der Ausbildung keine Arbeit* *finden.*

Schreiben Sie die Gegengründe („obwohl"-Sätze) in die Liste.

Hauptsatz, Aussage 1	**Nebensatz** **obwohl** + Aussage 2 ↔ Gegengrund				
		Subjekt	(...)		**Verb(en)**
...,	**obwohl**	sie		schon lange	arbeiten
und			Geld		verdienen.

..., *obwohl*

Ergänzen Sie die Regel.

! Subjekt ◆ am Ende ◆ „weil"-Sätze ◆ Verb im Infinitiv ◆ Modalverb ◆ „obwohl"-Sätze ◆ Komma

1 Sätze mit „weil" oder „obwohl" sind Nebensätze. ____________ nennen einen Grund, ____________ nennen einen Gegengrund für die Aussage im Hauptsatz. Zwischen Hauptsatz und Nebensatz steht ein ____________.
2 In Sätzen mit „weil" oder „obwohl" steht das Verb immer ____________. Manchmal gibt es zwei Verben (Modalverb und Verb im Infinitiv), dann stehen beide Verben am Satzende: zuerst das ____________, dann das ____________.
3 Das ____________ steht immer direkt hinter „weil" oder „obwohl".

ARBEITSBUCH 3–7

A 6 **Wie ist das in Ihrem Land? Wann ziehen junge Erwachsene aus? Wie wohnen sie dann? Warum?**

mit (etwa) ... Jahren ausziehen ◆ mit der Partnerin / dem Partner leben ◆ in einer anderen Stadt arbeiten / studieren / ... ◆ zum Militär gehen ◆ Streit mit den Eltern haben ◆ bei Verwandten wohnen ◆ unabhängig sein ◆ zur Untermiete wohnen ◆ mit Freunden zusammenwohnen ◆ gerne allein leben ◆ seine Ruhe haben ◆ wenig / genug Geld haben ◆ bis zur Heirat / zum Examen / ... bei den Eltern wohnen ◆ Kinder haben ◆ ...

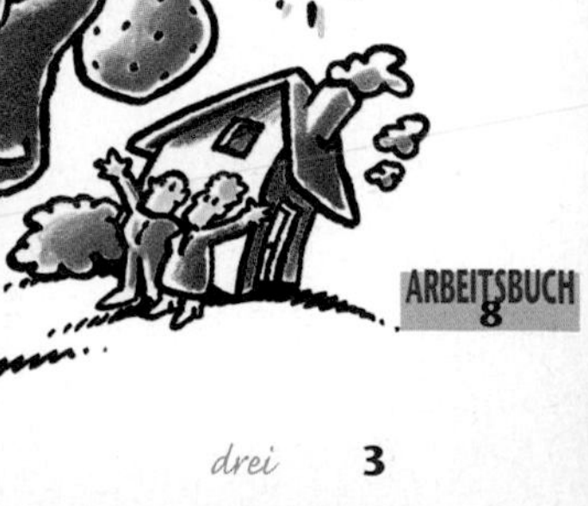

ARBEITSBUCH 8

B Bumerang-Kinder: Kaum sind sie ausgezogen, stehen sie wieder vor der Tür.

B 1 Arbeiten Sie zu viert und sprechen Sie über die Bilder.

A

NIC is the global leader in executive management consulting headquartered in Europe. With over 1,000 employees we develop and implement innovative business strategies and management systems. For our office in New York we are looking for a

secretary

German is your native language and you can speak and write English with near-native speaker fluency. You have been trained as a foreign-language secretary and have already acquired experience in an international business environment.

We look forward to your application.

NIC – International Management Consultants

B

C

D

Bumerang *(m);* -s, *Plural* -s *od.* -e (engl., aus austral. *wumera*); Wurfholz, das in einem Kreis zum Werfer zurückfliegt. Heute in vielen Formen als Spiel- und Sportgerät zu finden.

■ *Die Leute sind auf der Straße. Ich glaube, die junge Frau will verreisen.* ↘
● *Vielleicht macht sie Urlaub.* ↘
▲ *Das ist bestimmt kein Urlaub.* → *Schau mal, die Anzeige* ↘ …

B 2 Hören Sie den Dialog und markieren Sie.

1 Die beiden Frauen sprechen über Bild ______ .

2 Christine lebt heute ...
- a) allein mit Simon.
- b) mit Simon bei ihren Eltern.
- c) mit John und Simon in New York.

3 Christine beantwortet Veras Fragen ...
- a) gerne.
- b) nicht so gerne.

4 Christine und Vera sind ...
- a) Freundinnen.
- b) Schwestern.
- c) Bekannte.

B 3 Was ist heute? Was war früher? Sortieren Sie.

~~keine Arbeit~~ ◆ ~~Arbeit bei NIC~~ ◆ Freundschaft mit John ◆ nette Kollegen ◆ keine eigene Wohnung ◆ Geburt von Simon ◆ alles funktioniert gut ◆ Kaffeetrinken mit Vera ◆ Streit mit den Eltern ◆ wohnt bei den Eltern

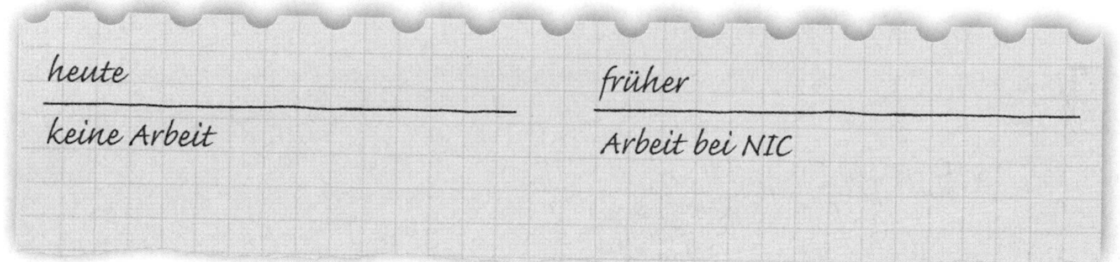

B 4 Hören Sie noch einmal und sortieren Sie die Antworten.

1 Wo warst du denn da mit Simon?

2 Urlaub in New York! Das wollte ich auch immer mal machen!

3 Und warum wolltest du wieder nach Deutschland zurück?

4 Wer ist eigentlich der Vater von Simon?

5 Wolltet ihr das Kind nicht haben?

6 Und dann bist du zurück nach Deutschland?

7 Da hattet ihr bestimmt viele Probleme, du und deine Eltern?

- [ ] Natürlich hatten wir manchmal Streit, vor allem wegen Simon. Am Anfang durfte er fast gar nichts. Meine Eltern mussten sich erst wieder an ein Kind im Haus gewöhnen.
- [ ] Eigentlich wollte ich ja in Amerika bleiben, aber mit Simon konnte ich ja nicht mehr arbeiten.
- [1] Da kommen wir gerade aus New York zurück. Das ist jetzt zwei Jahre her.
- [ ] Ich wollte das Kind schon haben, aber John wollte es nicht. John war verheiratet und hatte schon zwei Kinder.
- [ ] John. ... Damals bei NIC hatte ich eine interessante Arbeit, nette Kollegen, alles war einfach super. Und John war auch ein Kollege, ein ganz besonders netter sogar. Na ja, und dann wurde ich eben schwanger. Aber mit John: Das konnte einfach nicht gut gehen.
- [ ] Ja, es gab keine andere Möglichkeit. Allein mit dem Baby, keine Arbeit, kein Geld – das war vielleicht ein Chaos!
- [ ] Nein, nein. Das war kein Urlaub. Ich habe drei Jahre in New York gearbeitet, als Sekretärin bei NIC.

Unterstreichen Sie die Verben.

B 5 Ergänzen Sie die Tabelle und die Regeln.

	Modalverben		haben		sein	
	jetzt	früher	jetzt	früher	jetzt	früher
ich	will		habe		bin	
	kann					
	muss	musste				
du	willst		hast	hattest	bist	
sie, er, es	will		hat	hatte	ist	
	kann					
	darf					
wir	müssen	mussten	haben		sind	waren
ihr	wollt		habt		seid	wart
sie	müssen		haben		sind	
Sie	müssen		haben	hatten	sind	

!

1 Die Modalverben und das Verb „haben" haben im Präteritum immer ein _-t-_ (= Präteritum-Signal), dann kommt die Verb-Endung.

2 Im Präteritum sind die Endungen gleich bei
- ________ und ________ *(Singular).*
- ________ und ________ *(Plural).*

3 Vergleichen Sie die Infinitive mit den Präteritum-Formen.

Infinitiv „können"
Präteritum: _konnt-_

Infinitiv „müssen"
Präteritum: ________

Infinitiv „dürfen"
Präteritum: ________

Im Präteritum gibt es keine ________.

Präsens	Präteritum
es gibt	es gab
ich werde	ich wurde

ARBEITSB 9–1

B 6 Machen Sie ein Interview über „Kindheit und Jugend".

im Haushalt helfen ◆ still sitzen ◆ aufräumen ◆ früh ins Bett gehen ◆ Süßigkeiten essen ◆ fernsehen ◆ (Zigaretten) rauchen ◆ laut Musik hören ◆ abends allein in die Disko gehen ◆ einen Freund/eine Freundin mit nach Hause bringen ◆ mit Freunden in Urlaub fahren ◆ heiraten ◆ (Pilot) werden ◆ …

■ *Mussten Sie als Kind im Haushalt helfen?* ↗

● *Ja,* → *manchmal musste ich das Geschirr abtrocknen und den Mülleimer ausleeren.* ↘

▼ *Durftest du mit 15 abends allein in die Disko gehen?* ↗

▲ *Was wollten Sie als Kind werden?* ↘

…

Als Kind wollte ich Rock-Star werden.
Als Studentin …
Mit 15 durfte ich nie allein in die Disko gehen.
Mit 18 …

C Aber du wolltest doch …

C 1 Hören Sie drei Dialoge. Zu welchen Dialogen passen die Bilder?

2–4

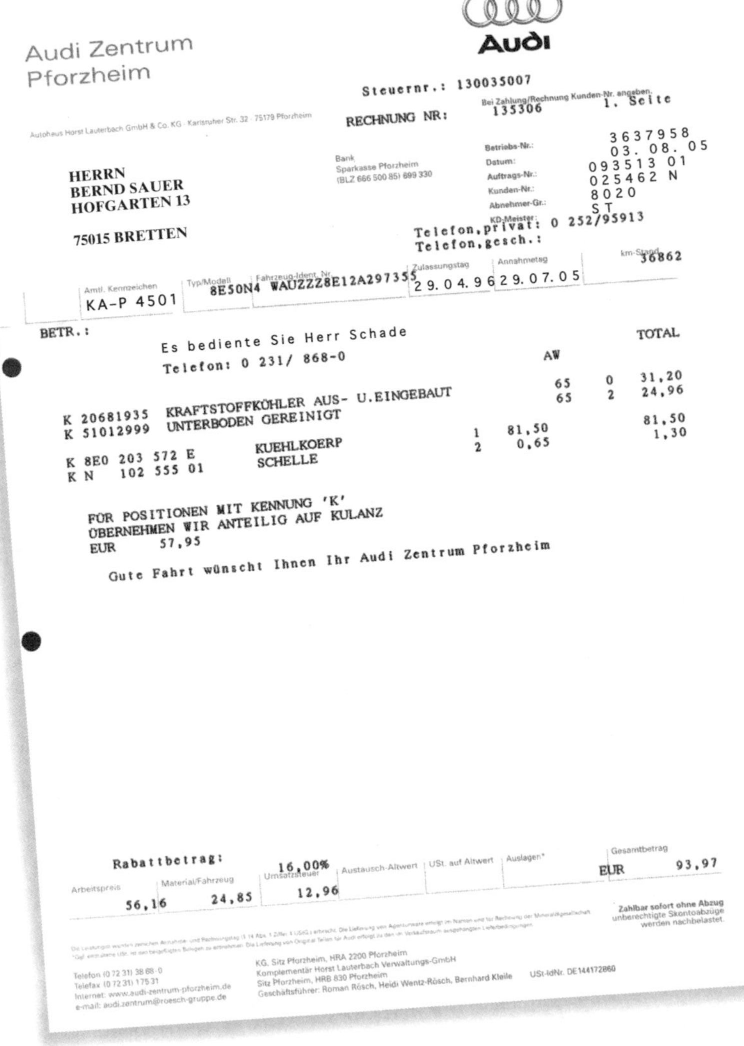

Audi Zentrum Pforzheim

AUDI

Autohaus Horst Lauterbach GmbH & Co. KG · Karlsruher Str. 32 · 75179 Pforzheim

Steuernr.: 130035007

RECHNUNG NR: 135306 (Bei Zahlung/Rechnung Kunden-Nr. angeben.) 1. Seite

HERRN
BERND SAUER
HOFGARTEN 13

75015 BRETTEN

Bank
Sparkasse Pforzheim
(BLZ 666 500 85) 699 330

Betriebs-Nr.: 3637958
Datum: 03. 08. 05
Auftrags-Nr.: 093513 01
Kunden-Nr.: 025462 N
Abnehmer-Gr.: 8020
KD-Meister: S T

Telefon,privat: 0 252/95913
Telefon,gesch.:

Amtl. Kennzeichen	Typ/Modell	Fahrzeug-Ident. Nr.	Zulassungstag	Annahmetag	km-Stand
KA-P 4501	8E50N4	WAUZZZ8E12A297355	29.04.96	29.07.05	36862

BETR.:

Es bediente Sie Herr Schade
Telefon: 0 231/ 868-0

				AW		TOTAL
				65	0	31,20
				65	2	24,96
K 20681935	KRAFTSTOFFKÜHLER AUS- U.EINGEBAUT					81,50
K 51012999	UNTERBODEN GEREINIGT					1,30
K 8E0 203 572 E	KUEHLKOERP	1	81,50			
K N 102 555 01	SCHELLE	2	0,65			

FÜR POSITIONEN MIT KENNUNG 'K'
ÜBERNEHMEN WIR ANTEILIG AUF KULANZ
EUR 57,95

Gute Fahrt wünscht Ihnen Ihr Audi Zentrum Pforzheim

Rabattbetrag: 16,00%

Arbeitspreis	Material/Fahrzeug	Umsatzsteuer	Austausch-Altwert	USt. auf Altwert	Auslagen*	Gesamtbetrag
56,16	24,85	12,96				EUR 93,97

Zahlbar sofort ohne Abzug
unberechtigte Skontoabzüge werden nachbelastet.

Telefon (0 72 31) 38 68-0
Telefax (0 72 31) 175 31
Internet: www.audi-zentrum-pforzheim.de
e-mail: audi.zentrum@roesch-gruppe.de

KG, Sitz Pforzheim, HRA 2200 Pforzheim
Komplementär Horst Lauterbach Verwaltungs-GmbH
Sitz Pforzheim, HRB 830 Pforzheim
Geschäftsführer: Roman Rösch, Heidi Wentz-Rösch, Bernhard Kleile

USt-IdNr. DE144172860

C 2 Was passt zu welchem Dialog? Hören Sie noch einmal und ordnen Sie zu.

2–4

A	Dialog
das Auto	
die Englischarbeit	
die Hausaufgaben	
die Party	
das Ticket	
die Reparatur	

B	Dialog		Dialog
Anna		Peter	
Herr Schade		Inge	
Barbara		Philipp	
die Mutter von Philipp		Bernd Sauer	
ein paar Leute mit Tickets		Jochen	

C 3 Ergänzen Sie die Sätze. Die passenden Namen oder Wörter finden Sie in C 2.

Dialog 1

______ entschuldigt sich.
______ ist noch nicht fertig.
______ sollte schon gestern fertig sein.
______ konnte die Ersatzteile erst heute bekommen.
______ wollte nach Essen fahren.

Dialog 2

______ wollten nach Berlin fliegen.
______ konnten keine Tickets mehr bekommen.
______ mussten auch da bleiben.
Bei ______ war eine Party.
______ waren nicht auf der Party.
______ war krank.

Dialog 3

______ sollte um sechs Uhr zu Hause sein.

______ konnte seine Hausaufgaben nicht allein machen.

______ musste seinem Freund helfen.

______ wollten für die Englischarbeit üben.

______ war erst um sieben zu Hause.

______ war sauer.

______ sollte eigentlich sein Zimmer aufräumen.

C 4 Fragen und antworten Sie abwechselnd.

- ■ *Warum war Philipp erst um sieben Uhr zu Hause?* ↘
  - ● *Weil er seinem Freund helfen musste* → *und weil er für die Englischarbeit üben …* ↘
- ■ *Und warum war Philipps Mutter sauer?* ↗
  - ● *Weil Philipp schon um sechs Uhr zu Hause sein sollte* → *und eigentlich …*

ARBEITSB 15–

C 5 Machen Sie eigene Dialoge nach den Beispielen.

1

- ● *Wo warst du denn gestern Abend?*
- ■ *Ich musste zu Hause bleiben. Anna war krank.*
- ● *Schade! Die Party bei Barbara war sehr schön.*

gestern | heute — Morgen | Vormittag | Nachmittag
am Montagabend
am Dienstagmorgen
am …

zum Zahnarzt gehen
zum Ordnungsamt gehen
…

der Unterricht | der Ausflug | der Film | … — interessant sein | schön sein

2

- ● *Huch! Was macht ihr denn hier? Wolltet ihr heute nicht nach Berlin fliegen?*
- ■ *Eigentlich schon, aber wir konnten keine Tickets mehr bekommen.*

nach München fahren
Karten spielen
Peter besuchen
…

Auto: kaputt sein
Peter: nicht kommen können
keine Zeit haben
…

3

- ● *Du solltest doch schon um sechs zu Hause sein!*
- ■ *Tut mir Leid, aber ich musste Peter noch bei den Hausaufgaben helfen.*
- ● *Und da konntest du nicht anrufen?*

die Konzertkarten kaufen
anrufen
die Waschmaschine reparieren
…

kein Geld dabei haben
eine Konferenz haben
das Werkzeug nicht finden
…

mit Scheck bezahlen
mal kurz rausgehen
fragen
…

4

- ● *Guten Tag. Ich möchte mein Auto abholen.*
- ■ *Tut mir Leid, das ist noch nicht fertig.*
- ● *Aber es sollte doch heute fertig sein?!*
- ■ *Eigentlich schon, aber wir konnten die Ersatzteile nicht bekommen.*
- ● *So ein Mist!*

Fernseher abholen
neue Waschmaschine abholen
zum Deutschkurs gehen
…

noch nicht fertig sein
noch nicht da sein
erst nächste Woche anfangen
…

neue Ersatzteile bestellen
der Hersteller: nicht liefern können
die Lehrerin: krank sein

ARBEITSBUCH 17–18

C 6 Schreiben Sie zu zweit Dialoge zu diesen Situationen.

1 Sven glaubt: Melanie ist im Urlaub. Dann trifft er sie in der Kneipe.
2 Warum wollte Salih nicht mehr zum Deutschkurs gehen?
3 Andreas sollte einkaufen. Nicole kommt nach Hause. Der Kühlschrank ist leer.
4 Helga war am Wochenende nicht auf der Hochzeitsfeier.
5 Herr Spät hat um zehn Uhr einen Termin mit Herrn Müller, aber Herr Müller ist nicht da. Herr Spät spricht mit der Sekretärin.

D Zwischen den Zeilen

D 1 Lesen Sie den Dialog zu zweit und unterstreichen Sie die Verben.

- ● Wohnst du noch bei deinen Eltern?
- ■ Nein, ich musste ausziehen, weil ich ja jetzt in Münster studiere.
- ● Hast du da eine eigene Wohnung?
- ■ Ja, ich wohne mit zwei anderen Studentinnen zusammen.
- ● Und? Wie ist das in einer Wohngemeinschaft?
- ■ Ich finde es ganz gut, obwohl ich manchmal Probleme mit dem Chaos in der Küche habe.
- ● Das kann ich gut verstehen. Ich war ja auch mal in einer WG. Da war immer die Hölle los: Musik, Partys, dauernd fremde Leute in der Wohnung. Nach vier Monaten bin ich wieder zurück zu meinen Eltern, weil ich einfach meine Ruhe haben wollte.
- ■ Ach, die vielen Leute stören mich eigentlich nicht, obwohl ich auch manchmal gerne allein bin.

Hören und vergleichen Sie. Die Leute sprechen „Umgangssprache". Was ist hier anders bei „weil" und „obwohl"? Markieren Sie.

! Nach „weil" oder „obwohl"	Im „weil"-Satz oder im „obwohl"-Satz
☐ ist eine Pause.	☐ steht das Verb auf Position 2.
☐ ist keine Pause.	☐ steht das Verb am Ende.

So sprechen heute viele Leute. Vor allem in Süddeutschland, in Österreich oder in der Schweiz. Sie denken nach „weil" und „obwohl" einen Doppelpunkt: Dann folgt ein Hauptsatz. So darf man sprechen, aber nicht schreiben.

D 2 Lesen und ergänzen Sie.

Die Leute sprechen schnell: Buchstaben, Silben und Endungen fehlen. Wie heißen diese Wörter richtig?

ich musst	....	ander'n	....
auszieh'n	....	in 'ner	....
ich studier'	....	ich find's	....
hastu	....	versteh'n	....
'ne eig'ne Wohnung	....	ich wollt'	....
ich wohn'	....	stör'n	....

Hören Sie jetzt noch einmal und vergleichen Sie.

E Der Ton macht die Musik

E 1 Hören Sie und sprechen Sie nach. 6–7

Wie konntet ihr nur!

Wie konntet ihr nur ...! Wir mussten doch ...
Konntet ihr denn nicht ...? Wir wollten schon, aber ...
Wie konntet ihr nur!

Das durftest du nicht!

Das durftest du nicht! Warum? Ich wollte doch nur ...
Und warum konntest du nicht ...? Das wollte ich ja, aber ...
Das durftest du nicht!

E 2 In diesen Dialogen gibt es keine „Inhalte". Wählen Sie einen Dialog und ergänzen Sie die Sätze oder schreiben Sie einen neuen Dialog mit Inhalten. Arbeiten Sie zu zweit.

■ *Das durftest du nicht!*
● *Warum? Ich wollte doch nur mein Fahrrad putzen.*
■ *Und warum konntest du das nicht auf der Straße machen?*
● *Das wollte ich ja, aber da hatte ich kein Wasser.*
■ *Das durftest du nicht!*

F Kurz & bündig

Aussage ← **„weil"-Sätze** § 40

Lehrlinge und Studenten bleiben länger zu Hause,	**weil** eine eigene Wohnung zu teuer **ist.**
Einige junge Leute kommen zu den Eltern zurück,	**weil** sie arbeitslos **werden.**

↔ **„obwohl"-Sätze**

Viele junge Leute finden heute keine Arbeit,	**obwohl** sie eine gute Ausbildung **haben.**
Einige junge Leute bleiben im Elternhaus,	**obwohl** sie genug Geld für eine eigene Wohnung **haben.**

„Warum"-Fragen	**Kurzantworten mit „Weil"-Sätzen**
Warum war Philipp erst um sieben zu Hause?	**Weil** er seinem Freund **helfen musste.**
Warum war das Auto noch nicht fertig?	**Weil** der Meister krank **war.**
Warum wart ihr nicht auf der Party von Barbara?	**Weil** Anna krank **war.**

Präteritum von „sein", „haben" und „werden" § 12

Wo **warst** du denn da mit Simon?	Ich habe drei Jahre in New York gearbeitet. Ich **hatte** eine interessante Arbeit und nette Kollegen. John **war** auch ein Kollege. Dann **wurde** ich schwanger. John **war** verheiratet und **hatte** schon zwei Kinder.
Da **hattet** ihr bestimmt viele Probleme, du und deine Eltern?	Natürlich **hatten** wir manchmal Streit.

Präteritum der Modalverben § 10

Wolltet ihr heute nicht nach Berlin fliegen?	Ja, aber wir **konnten** keine Tickets mehr bekommen.
Tut mir Leid, aber Ihr Wagen ist noch nicht fertig.	Was? Der **sollte** doch schon gestern fertig sein!
Wo warst du denn am Samstag?	Ich hatte keine Zeit. Ich **musste** den ganzen Tag arbeiten.
Durften Sie früher allein in die Disco gehen?	Nein, ich **durfte** nur mit meinem Bruder weggehen.
Konntest du nicht anrufen?	Ich **wollte** ja, aber das Telefon war kaputt.
Warum **konnten** sie nicht zur Party kommen?	Sie **mussten** zu Hause bleiben, weil Anna krank war.

Nützliche Ausdrücke

Wer ist **eigentlich** der Vater von Simon? ↘	John. ↘
Warum wolltest du wieder nach Deutschland zurück? ↗	**Eigentlich** wollte ich **ja** in Amerika bleiben, → **aber** mit Simon konnte ich ja nicht mehr arbeiten. ↘
Was macht ihr denn hier? ↘ Ihr wolltet **doch** nach Berlin fliegen. ↘	**Eigentlich schon**, → **aber** wir konnten keine Tickets mehr bekommen. ↘
Musst du **nicht** am Wochenende arbeiten? ↗	**Doch**, → aber nur bis sechs. ↘ Am Abend habe ich Zeit. ↘
Du solltest **doch** schon um sechs zu Hause sein. ↘	**Tut mir Leid**, → **aber** ich musste Peter noch bei den Hausaufgaben helfen. ↘
Was wollten Sie **als Kind** werden? ↗	Rock-Star. ↘
Mussten Sie **als Kind** im Haushalt helfen? ↗	Ja, → manchmal musste ich das Geschirr abtrocknen. ↘
Mit 18 wollte ich ausziehen → und **in einer Wohngemeinschaft** wohnen. ↘	Ich war **auch** mal in einer **WG.** ↘ **Da war** immer **die Hölle los**

Urlaub und Reisen

LEKTION 2

A Traumreisen – Reiseträume

aktuelle Urlaubs-Angebote

A **Mittelmeer-Kreuzfahrt**
14 Tage, alles inkl.,
ab Genua, 1.630,– €

B **Bus-Rundreise durch Mecklenburg**
5 Tage, Übern. im DZ/HP, 299,– €

C **Englisch lernen auf Malta**
10 Tage, Übern./Frühstück
täglich 4 Std. Unterricht, 720,– €

D **Weltreise in 12 Tagen**
alles inkl., ab 1.999,– €

E **Surfen auf Korsika**
2 Wochen, Flug, *** Hotel (HP)
inkl. 1 Wo Surfkurs, 545,– €

F **Städtereise nach Wien**
4 Tage, Flug, **** Hotel (Ü/F),
inkl. Stadtrundfahrt & Musical, 419,– €

G **Entspannungs-Wochenende auf Rügen**
mit komplettem Wellness-Programm
3 Tage, **** Hotel, HP, ab 295,– €

Ü/F = Übernachtung mit Frühstück

HP = Halbpension (Übernachtung mit Frühstück und Abendessen)

DZ = Doppelzimmer

A 1 Wie finden Sie die Angebote? Diskutieren Sie.

■ *Welches Angebot finden Sie interessant / langweilig / günstig / (zu) teuer / …?* ↘
● *Ich finde die Städtereise nach Wien interessant.* ↘ *Aber die ist ziemlich teuer.* ↘
▼ *Welche Angebote gibt es auch / gibt es nicht in Ihrem Land?* ↘
▲ *Bei uns kann man auch viele Bus-Rundreisen machen.* ↘

A 2 **Was ist für Sie im Urlaub wichtig? Markieren und ergänzen Sie.**

- einfach mal nichts tun
- Menschen kennen lernen
- Sport treiben
- Sehenswürdigkeiten besichtigen
- Zeit für die Familie haben
- gut essen und trinken
- fremde Länder kennen lernen
- etwas lernen / einen Kurs machen
- in der Sonne liegen und braun werden
- mit Freunden zusammen sein
- ______________________
- ______________________
- ______________________

A 3 **Welchen Urlaub möchten Sie gerne machen? Warum? Interviewen Sie Ihre Nachbarn.**

■ *Wie möchten Sie / möchtest du gerne Urlaub machen?*

● *Ich möchte gerne einmal …*
Ich wollte schon immer einmal …
Da kann ich …
In den Ferien will ich …

Berichten Sie.

Ramon möchte gern eine Rundreise durch Südamerika machen, weil er sich für fremde Länder interessiert. Im Urlaub lernt er gerne viele neue Menschen kennen.

ARBEIT 3-

B In 12 Tagen um die Welt – Nordroute

B 1 **Welche Texte passen zu welchen Bildern? Markieren Sie.**

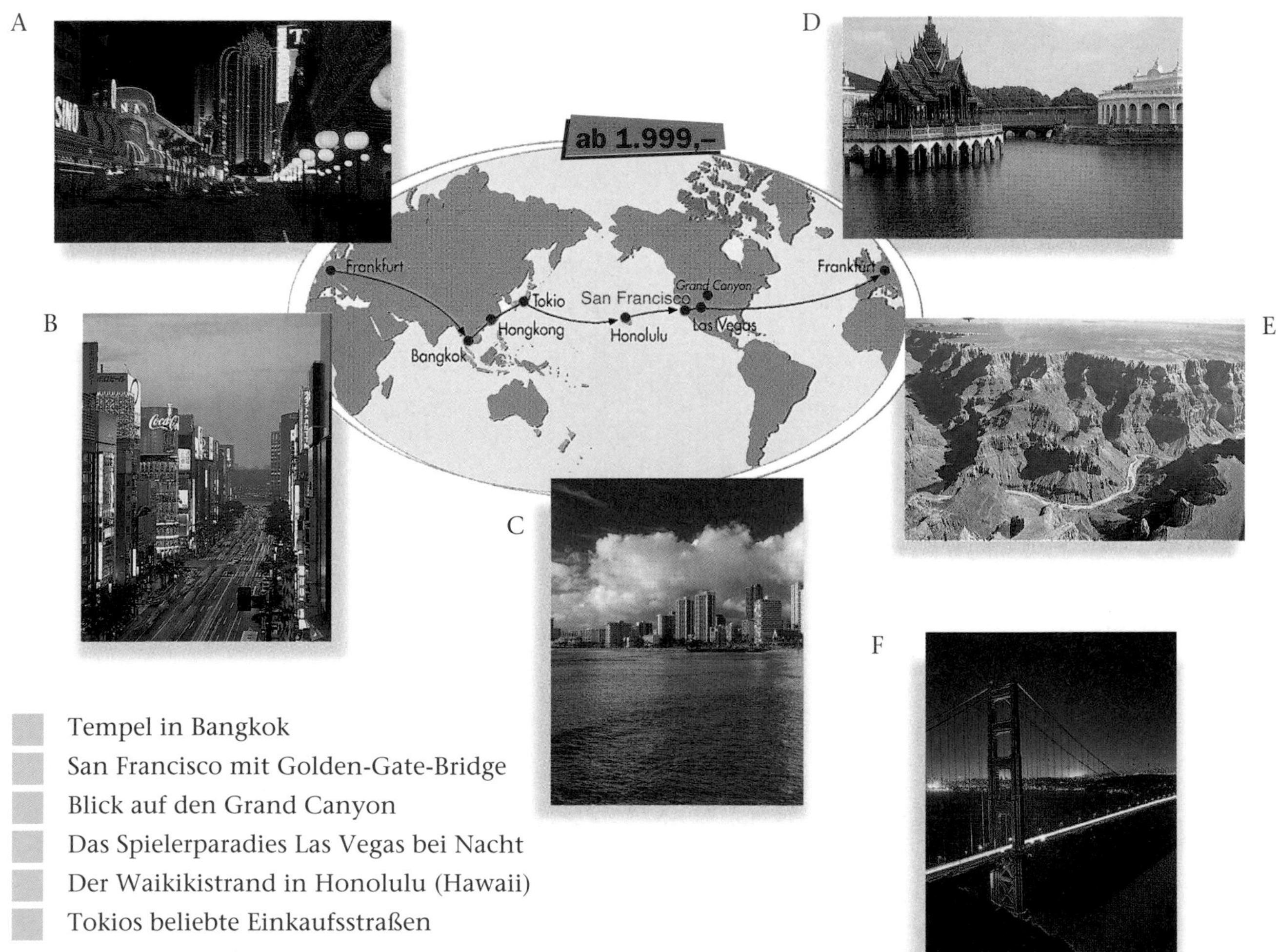

- Tempel in Bangkok
- San Francisco mit Golden-Gate-Bridge
- Blick auf den Grand Canyon
- Das Spielerparadies Las Vegas bei Nacht
- Der Waikikistrand in Honolulu (Hawaii)
- Tokios beliebte Einkaufsstraßen

Welche Reiseziele finden Sie interessant? Warum?

B 2 Lesen Sie den Prospekt und ordnen Sie die Reiseroute.

☐ Mittwoch, 21 Uhr Nachtflug nach Honolulu (Hawaii). Dabei Flug über die Datumsgrenze. Der Mittwoch erscheint deshalb zweimal im Programm. ______

☐ Zwei Tage Freizeit am weltberühmten Strand von Waikiki. Donnerstag um 17.15 Uhr Flug nach San Francisco. Ankunft um Mitternacht und Transfer zum Hotel. ______

☐ Montag Tagesflug nach Tokio. Dienstag Tagesfahrt zum Hakone-See beim Fujiyama. ______

☐ Freitag Freizeit in San Francisco und Gelegenheit zum Einkaufen; nachmittags Rundfahrt, u. a. mit Golden-Gate-Bridge. Samstagvormittag Freizeit, am Nachmittag Flug nach Las Vegas. ______

1 Freitag um 15.45 Uhr Abflug ab Frankfurt. Ankunft in Bangkok Samstag um 8.45 Uhr, Transfer zum Hotel, anschließend Zeit zum Stadtbummel, am Abend romantische Bootsfahrt mit Abendessen auf dem Chao Phaya. *Boot verpasst: Snacks im Hotel*

☐ Sonntag Stadtrundfahrt in der Hauptstadt Thailands und Besichtigung der Tempel. ______

☐ Am Abend Rundfahrt „Las Vegas bei Nacht" oder Besuch einer Show. Am Sonntag Freizeit in Las Vegas oder Flug zum Grand Canyon. ______

☐ Sonntag, 21 Uhr ab Las Vegas Nachtflug über den amerikanischen Kontinent, Flugzeugwechsel und Weiterflug über den Atlantik nach Deutschland. ______

8 Hören Sie den Reisebericht und vergleichen Sie.

B 3 Das sind Notizen aus Inkas Reisetagebuch. Was passt wo? Hören Sie noch einmal und ergänzen Sie.

8

eine ganz tolle Stadt ◆ Ich: Kopfschmerzen, Ralf: Kamera vergessen ◆ Strand, Meer, Sonne: super! ◆ fix und fertig! ◆ Bus zu spät: kein Flug zum Grand Canyon! ◆ Tempel, Tempel, Tempel ◆ ~~Boot verpasst: Snacks im Hotel~~ ◆ zweimal der gleiche Tag

Vergleichen Sie den Reiseplan und Inkas Notizen.

Sie wollten abends eigentlich eine Bootsfahrt machen, aber sie mussten im Hotel essen, weil sie das Boot verpasst haben.

B 4 **Lesen Sie die Urlaubspost. Wie beschreiben Inka und Ralf ihre Reise? Markieren Sie und finden Sie Beispiele im Text.**

Inka und Ralf an Familie Berg	▢	▢	▢
Inka an Rosi	▢	▢	▢
Ralf an Sven	▢	▢	▢

Was meinen Sie? Warum gibt es diese Unterschiede?

Unterstreichen Sie die Verben im Perfekt und ergänzen Sie die Infinitive.

beginnen
______
______
______
______

Hallo, ihr Lieben!

Unsere Weltreise hat gut begonnen: In Frankfurt sind wir mit Verspätung abgeflogen. Der Flug war ganz schön lang, aber wir haben gleich nette Leute kennen gelernt. Bangkok ist traumhaft schön! Wir haben schon eine Stadtrundfahrt gemacht und die Tempel angesehen – ganz toll! Jetzt geht's gleich weiter nach Tokio. Arbeitet nicht zu viel!

Liebe Grüße
Inka & Ralf

Fam.
Arnold Berg
Länderstr. 7
D-61906 Frankfurt a.M.
Germany

______
______
______
______
______
______
______

Liebe Rosi,

so eine Weltreise kann ganz schön anstrengend sein! Wir sind Samstag völlig kaputt in Bangkok angekommen. Ralf ist im Hotel geblieben und ist sofort eingeschlafen. Ich bin dann allein in die Stadt gegangen und habe ein bisschen eingekauft – auch ein hübsches Teil für dich!
Abends wollten wir eine Flussfahrt auf dem Chao Phaya machen, aber wir sind zu spät gekommen: Das Boot war schon weg. Sehr ärgerlich! Am Montag sind wir dann nach Tokio geflogen. Wir haben fast den ganzen Tag im Flugzeug gesessen – das war zu viel für mich. Jetzt habe ich furchtbare Kopfschmerzen. Ralf ist natürlich fit und hat die Tagesfahrt mitgemacht. Stell dir vor, er hat die Kamera hier vergessen – jetzt gibt es nicht einmal Dias vom Hakone-See. Morgen geht's weiter nach Honolulu – hoffentlich wird dort alles besser.
Ich freue mich schon auf zu Hause und auf einen schönen Abend mit dir.

Alles Liebe deine Inka

Rosemarie Lang
Wilhelmstr. 15
D-55128 Mainz
Germany

______
______
______
______
______

Hallo Sven!
Jetzt geht unsere Weltreise zu Ende – wir hatten eine schöne Zeit und haben viel erlebt. In Bangkok und Tokio haben wir die bekannten Sehenswürdigkeiten besichtigt, auf Hawaii dann zwei Tage nur Strand, Meer, Sonne und kühle Drinks …
Gestern Abend sind wir hier in Las Vegas angekommen und haben gleich eine Show besucht. Heute wollten wir eigentlich zum Grand Canyon fliegen, aber der Bus hat uns zu spät abgeholt und wir haben den Flug verpasst. Schade!
Gleich geht's zum Flughafen und dann zurück nach Deutschland.

Bis bald dein Ralf

Sven Janes
Spielstr. 61
D-61458 Fr

Meistens benutzt man bei den Verben „sein" und „haben" das Präteritum:
„Der Flug **war** ganz schön lang."
„Wir **hatten** eine schöne Zeit."
Auch die Modalverben benutzt man im Präteritum:
„Heute **wollten** wir eigentlich zum Grand Canyon fliegen."

B 5 **Arbeiten Sie in Gruppen. Schreiben Sie Plakate und ergänzen Sie die Regeln.**

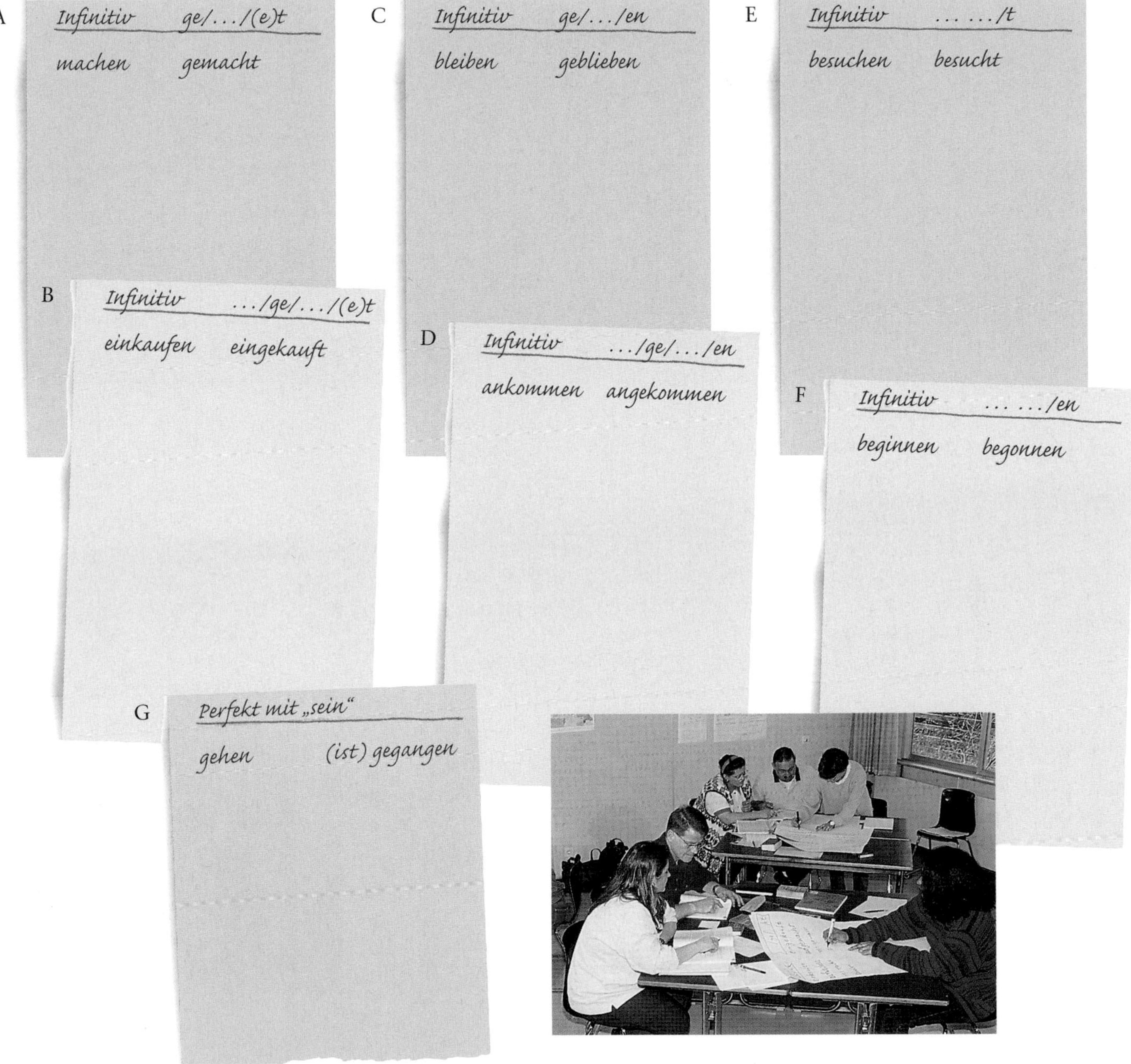

! -en ◆ haben ◆ ge- ◆ trennbaren ◆ -(e)t ◆ nicht trennbar ◆ sein

1 Das Partizip Perfekt der regelmäßigen Verben hat die Endung __________. (A, B, E)
Das Partizip Perfekt der unregelmäßigen Verben hat die Endung __________. (C, D, F)
2 Das Partizip Perfekt bildet man bei vielen Verben mit der Vorsilbe __________. (A, C, G).
Bei __________ Verben steht „-ge-“ nach der trennbaren Vorsilbe. (B, D).
3 Verben mit den Vorsilben „er-, be-, ver-“ sind __________ __________. Sie haben kein „ge-“. (E, F)
4 Die meisten Verben bilden das Perfekt mit __________. (A–C, E)
Verben der Bewegung (fahren, fliegen, etc.) oder der Veränderung (einschlafen, aufwachen, losgehen, abfliegen, etc.) bilden das Perfekt mit __________. (D, G)

B 6 **Hören Sie, sprechen Sie nach und markieren Sie den Wortakzent.**

abgeflogen ◆ angekommen ◆ eingeschlafen ◆ aufgewacht ◆ losgegangen ◆ angesehen ◆ besucht ◆ besichtigt ◆ verpasst ◆ vergessen ◆ erlebt

Ergänzen Sie die Regeln.

! auf dem Verbstamm ◆ auf der Vorsilbe ◆ Vorsilbe + ge ◆ ge

Trennbare Verben	**Nicht-trennbare Verben**
Vorsilben *ab,* ______	Vorsilben *be,* ______
Wortakzent ______	Wortakzent ______
Partizip Perfekt ______	Partizip Perfekt ohne ______

B 7 **Fragen Sie und machen Sie Notizen.**

ARBEITSB. 7–1

Wer hat / ist schon einmal … ?

nach Asien fliegen ◆ in den USA einkaufen ◆ über die Datumsgrenze fliegen ◆ den Grand Canyon sehen ◆ das Flugzeug verpassen ◆ in ein Spielkasino gehen ◆ den Pass oder das Ticket vergessen ◆ eine berühmte Person kennen lernen ◆ japanisch essen ◆ ein Konzert im Ausland besuchen ◆ …

- ■ *Bist du / Sind Sie schon einmal nach Asien geflogen?* ↗
- ● *Nein,* → *noch nie.* ↘
- ■ *Hast du / Haben Sie schon einmal in den USA eingekauft?* ↗
- ● *Ja.* ↘ *Ich war vor drei Jahren in den USA.* ↘ *Da habe ich auch eingekauft.* ↘

…

Jetzt berichten Sie.

Mario war schon einmal in den USA → *und hat dort auch eingekauft.* ↘

B 8 **Was haben Sie am letzten Wochenende gemacht? Berichten Sie.**

C Zwischen den Zeilen

C 1 Hören Sie und ergänzen Sie.

10

ein bisschen ◆ etwas ◆ ziemlich ◆ ganz schön ◆ sehr ◆ wirklich ◆ ganz

Inka Berger erzählt:

1 Wir haben gleich ______ nette Leute kennen gelernt.
2 Der Flug war aber trotzdem ______ lang.
3 Ich war auch ______ müde.
4 Ohne Reiseleiter, das war irgendwie ______ schwierig.
5 Es gab nur noch ein paar Snacks, und die waren ______ teuer.
6 Die sind ja ______ schön, aber irgendwie …
7 Das war ______ langweilig.
8 Also das ist eine ______ tolle Stadt.
9 Das war ______ anstrengend, ich bin jetzt fix und fertig.
10 Ach, es war ______ super.

C 2 Hören Sie, sprechen Sie nach und markieren Sie die Akzente.

11

ganz fantastisch
ganz toll
wirklich schön
wirklich super

sehr nett
sehr schön
sehr interessant
sehr schick

ziemlich spät
ziemlich teuer
etwas müde
etwas langweilig
ganz schön anstrengend
ganz schön lang

sehr schwierig
sehr teuer
wirklich sauer

Was passt? Lesen Sie die Dialoge und ergänzen Sie.

1 ● Die Reise war ganz fantastisch.
■ Ja, die war ______.

2 ● Das Hotel war ziemlich teuer.
■ Es war nicht billig, aber ______.

3 ● Die Tempel waren etwas langweilig.
■ Wieso? Die waren doch ______.

4 ● Die Reise war ganz schön anstrengend.
■ Und sehr teuer. Ich bin ______.

5 ● Kennen Sie die Schillers? Die sind sehr nett.
■ Ach, ich weiß nicht. Ich finde sie ______.

6 ● Der Mantel ist sehr teuer.
■ Aber ______.

7 ● Ich finde das Buch etwas langweilig.
■ Langweilig? Ich finde es ______.

8 ● Ich gehe jetzt nach Hause. Ich bin etwas müde.
■ Du hast Recht. Es ist ja auch schon ______.

Jetzt spielen Sie die Dialoge zu zweit.

C 3 Wie finden Sie …? Diskutieren Sie in Gruppen.

die deutsche Sprache ◆ die Schule ◆ diese Lektion ◆ das Perfekt ◆ …

ARBEITSBUCH 14–16

D Deutschland-Info

D 1 Was wissen Sie über Deutschland? Sprechen Sie mit Ihrem Nachbarn.

- ■ *Das ist bestimmt Berlin. Berlin ist die Hauptstadt von Deutschland.*
- ● *Ich glaube, das hier ist Hamburg. Da gibt es einen großen Hafen.*
- ■ *Das ist das Zeichen von Mercedes …*
- ● *Ich war schon einmal in …*

…

D 2 Welche Texte passen? Vergleichen Sie mit der Karte und ergänzen Sie die Namen der Bundesländer.

Die Bundesrepublik Deutschland liegt in der Mitte von Europa. Sie hat neun direkte Nachbarn: Dänemark im Norden, die Niederlande, Belgien, Luxemburg und Frankreich im Westen, die Schweiz und Österreich im Süden und die Tschechische Republik und Polen im Osten. Deutschland hat ca. 80 Millionen Einwohner und besteht seit dem 3. Oktober 1990 aus 16 Bundesländern.

Nordrhein-Westfalen Bevölkerungsreichstes Bundesland. Rund die Hälfte der Menschen ist in Großstädten mit mehr als 500 000 Einwohnern zu Hause. Das Ruhrgebiet ist Europas größtes Industriegebiet. Kulturelle Zentren sind die Landeshauptstadt Düsseldorf und Köln, berühmt für seinen gotischen Dom und den Karneval.

________________ „Deutschlands grünes Herz". Landeshauptstadt ist die „Gartenstadt" Erfurt mit einer sehr schönen Altstadt. In Weimar lebten für längere Zeit die beiden großen deutschen Dichter Johann Wolfgang von Goethe und Friedrich Schiller. Wichtiger Wirtschaftszweig: optische Geräte – die Namen der Stadt Jena und des Mechanikers Carl Zeiss sind auf der ganzen Welt bekannt. Spezialität: Thüringer Rostbratwurst.

________________ Deutschlands alte und neue Hauptstadt, ein europäisches Kulturzentrum, aber auch eine „grüne" Stadt mit Parks, Wäldern und Seen. Wahrzeichen: das Brandenburger Tor. Wichtiger Industriestandort (Siemens AG und AEG).

________________ Ein landschaftlich schönes Bundesland: beliebte Ausflugs- und Urlaubsziele sind der Schwarzwald, der Bodensee und Heidelberg (Schloss). Spezialität: die Schwarzwälder Kirschtorte. Wirtschaftliches Zentrum ist die Region um die Landeshauptstadt Stuttgart: Daimler-Chrysler (Mercedes), Bosch oder Porsche haben hier ihre Zentrale.

________________ Das am stärksten industrialisierte Land der fünf „neuen" Bundesländer. Leipzig, traditionelle Messestadt und Verlagszentrum, ist bekannt für den Thomaner-Chor. Landeshauptstadt ist Dresden mit der wunderschönen Semper-Oper. Weltbekannt ist die Porzellanmanufaktur Meißen. Attraktives Urlaubsziel: die Sächsische Schweiz.

________________ Größtes Bundesland und deutsches Urlaubs-Paradies: Hauptattraktion sind die Alpen mit Deutschlands höchstem Berg (Zugspitze: 2962 m) und die Schlösser des bayerischen „Märchenkönigs" Ludwig II (z. B. Neuschwanstein). Spezialität: die Nürnberger Lebkuchen. Landeshauptstadt ist München mit der „Wies'n", dem weltbekannten Oktoberfest, und dem Deutschen Museum (weltgrößte Sammlung zur Geschichte der Naturwissenschaften und der Technik).

________________ Von hier kommen zwei Drittel der deutschen Weinernte. Hauptattraktion: das Rheintal zwischen Bingen und Bonn mit seinen vielen Burgen und der berühmten „Loreley". Sitz des größten Chemiewerks in Europa (BASF Ludwigshafen) und der größten europäischen Rundfunkanstalt, des Zweiten Deutschen Fernsehens (ZDF).

________________ Deutschlands wichtigster Seehafen mit Handelsfirmen aus aller Welt, aber auch eine der „grünsten" Städte Deutschlands. Sitz der größten deutschen Zeitungs- und Zeitschriftenverlage und der Deutschen Presse-Agentur (dpa).

D 3 Lesen Sie noch einmal und ergänzen Sie die passenden Ausdrücke aus den Texten.

Zeile	Nummer		
9	1	Volksfest mit Kostümen und Masken	______________________
11	2	altes Stadtzentrum	______________________
12/13	3	z.B. optische Geräte, Autoindustrie, Tourismus	______________________
16	4	hier gibt es viele Theater, Museen, Konzerte …	______________________
16	5	ein Symbol für eine Stadt	______________________
20	6	hier gibt es viele Fabriken/Firmen	______________________
25	7	hierher kommen viele Touristen	______________________
28	8	Essen oder Getränk, typisch für eine Region/Stadt	______________________
29	9	in der ganzen Welt bekannt	______________________
32	10	66% der deutschen Weinproduktion	______________________

D 4 Über welches Bundesland sprechen die Leute? Hören und ergänzen Sie.

12

1 ______________________ 4 ______________________
2 ______________________ 5 ______________________
3 ______________________ 6 ______________________

ARBEITS 17

D 5 Arbeiten Sie zu zweit und fragen Sie Ihren Nachbarn.

Schlagen Sie die Karte vorne im Buch auf.

Partner A: Fragen Sie.

Welches Bundesland liegt nördlich von Niedersachsen?
Welche Stadt liegt an der Ostsee, zwischen Hamburg und Kiel?
Wo liegt … ?
Wie heißt der Fluss im Osten von Deutschland, an der Grenze zu Polen?
Welcher Fluss fließt von … nach … ?
Welches Gebirge liegt … ?

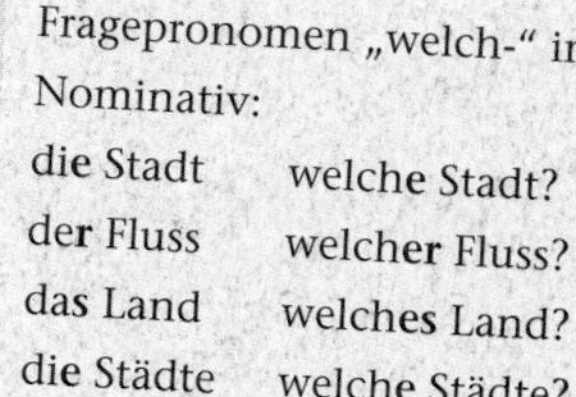

Fragepronomen „welch-" im Nominativ:

die Stadt	welche Stadt?
der Fluss	welcher Fluss?
das Land	welches Land?
die Städte	welche Städte?

Partner B: Antworten Sie.

Schleswig-Holstein.

Schleswig-Holstein liegt im Norden von Deutschland, nördlich von Niedersachsen.

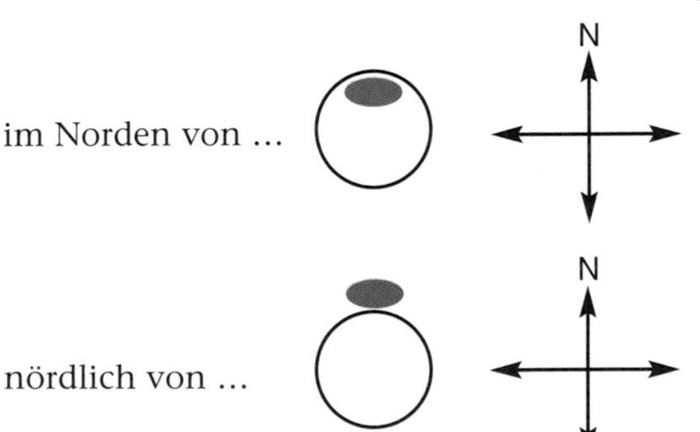

ARBEITS 18

D 6 Jetzt beschreiben Sie Ihr Land oder Ihre Stadt.

Lage (Wo?, Nachbarländer) ◆ Geografie (Gebirge, Flüsse, Seen) ◆
Industriegebiete / wichtige Industriezweige ◆ Kulturzentren ◆ Hauptattraktionen ◆
Spezialitäten ◆ Wahrzeichen ◆ Volksfeste ◆ …

ARBEITS 19–

E Eine Reise in Deutschland

E 1 Lesen Sie die Reisenotizen und markieren Sie die Reiseroute.

Juan Lojo Fabeiro ist Reiseleiter in Spanien. In seinen Reisegruppen sind immer deutsche Touristen. Viele Deutsche sprechen kein Spanisch, also hat Juan Deutsch gelernt.
Jetzt reist er durch Deutschland. Er will sein Deutsch verbessern und das Land seiner Kunden kennen lernen.

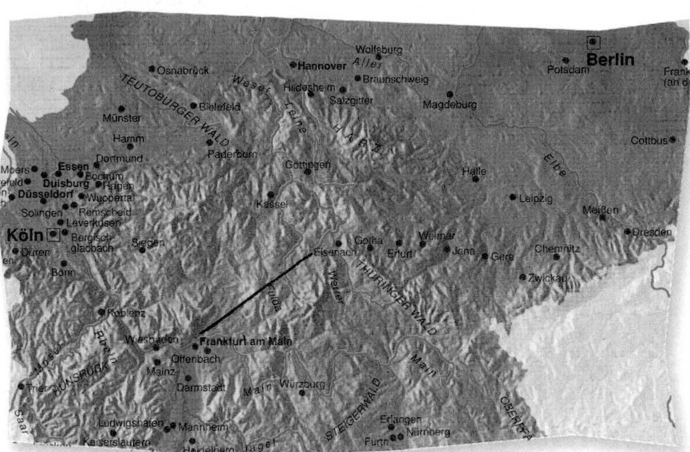

> **!** Fast alle Verben auf „-ieren" bilden das Partizip Perfekt **ohne** die Vorsilbe „ge-", aber **mit der Endung „-t"**.
> Der Wortakzent ist immer am Ende.
>
> | | |
> |---|---|
> | repar**ieren** | (hat) repar**ie**rt |
> | telefon**ieren** | (hat) telefon**ie**rt |
> | pass**ieren** | (ist) pass**ie**rt |

Wenn einer eine Reise tut, dann kann er was erzählen.

Dienstag, 10. Juni
11.30 in Frankfurt angekommen; Gleich ins Hotel; nachmittags Stadtbummel: Goethehaus, Museum für Moderne Kunst, am Main spazieren gegangen. Abends Essen im Hotel (nie mehr!), dann „Tigerpalast" (Varieté, sehr lustig).

Mittwoch, 11. Juni
Abfahrt zur 5-Tage-Busrundfahrt durch Thüringen / Sachsen. Bus sehr bequem. Erste Station: Eisenach (Wartburg und Lutherhaus), dann nach Gotha (Schloss Friedenstein, schöner Park!, Kamera kaputt: keine Fotos), abends nach Erfurt.

Donnerstag, 12. Juni
Erfurt besichtigt (viele Kirchen), nachmittags Stadtbummel: schöne alte Häuser, Fotogeschäft: Kamera repariert! Abends Kneipe (1 Uhr: „Sperrstunde" → alle raus).

Freitag, 13. Juni
Nach Weimar gefahren – kleiner Unfall, nichts passiert – „Gott sei Dank" (lernen!). Stadtführung (guter Führer, langsam geredet, gut verstanden!); Dresden auf Autobahn Bus-Panne, Fahrer telefoniert, 3 Std. im Bus. Erst 22 Uhr in Dresden, Abendessen verpasst (Hotelrestaurant geschlossen → Pizza!).

Samstag, 14. Juni
Konzertkarten bestellt; Stadtrundgang: Semperoper! Nachmittags Ausflug in die „Sächsische Schweiz" gemacht (tolles Panorama!). Abends Orgelkonzert (Bach) in der Hofkirche.

Sonntag, 15. Juni
Nach Meißen gefahren (Besuch Porzellanmanufaktur: Tasse gekauft und im Café vergessen – Mist!); Rückfahrt nach Frankfurt. Abends „Don Carlos" (spanisches Restaurant, wunderbar!).

Montag, 16. Juni
Mit dem Zug nach Heidelberg. Besuch bei Conny (studiert jetzt hier); am Neckar spazieren gegangen (Schloss & Altstadt!); abends Kneipe (gemütlich, nette Freunde von C.; viel erzählt und diskutiert – Musik zu laut). Essen & Bier „klasse" (= sehr gut); spät zurück nach F., gleich ins Hotel und ins Bett.

E 2 Arbeiten Sie zu zweit und sprechen Sie über die Reise.

Partner A ist ■ Juan Lojo Fabeiro. Er erzählt von seiner Reise.
Partner B ist ● seine Freundin Conny aus Heidelberg. Sie will alles ganz genau wissen.

■ *Am Dienstagmittag bin ich in Frankfurt angekommen und gleich zum Hotel gefahren.*
● *War das Hotel gut?*
■ *Ja, das war ganz okay, aber das Restaurant …*
● *Und was hast du in Frankfurt gemacht?*
■ …

F Der Ton macht die Musik

13

Der Perfekt-Hamburg-Trip-Rap

Hey, du,
wie war der Hamburg-Trip?

Gott sei Dank, Gott sei Dank,
bin ich jetzt zurück.

Erzähl doch mal ...

dann hilf mir mal,
ich hab's noch nicht gecheckt

Das mit dem Perfekt?

Das geht noch nicht perfekt!

fliegen? — geflogen
ab, ab, ab, ab, abgeflogen
kommen? — gekommen
an, an, an, an, angekommen
schlafen? — geschlafen
neunzehn Stunden nicht geschlafen
nur gesessen, viel gegessen
warten? — gewartet
lange aufs Gepäck gewartet
fahren? — gefahren
dann gleich ins Hotel gefahren
nehmen? — genommen
Bad genommen, ausgeruht

Das mit dem Perfekt,
das geht doch schon sehr gut!

gehen? — gegangen
bin dann in die Stadt gegangen
kaufen? — gekauft
ein, ein, ein, groß eingekauft
machen? — gemacht
Tour gemacht, Show besucht
Bus verpasst, Bar gesucht
passieren? — passiert
dann ist es passiert
saufen? — gesoffen
zwei, drei, vier – Schnaps und Bier
einschlafen? — eingeschlafen
eingeschlafen, aufgewacht
Geld weg, Pass weg

Was hast du gemacht?

zurückfliegen? Richtig:
Ich bin dann halt zurückgeflogen.
ankommen? Klar:
gestern wieder angekommen
In Hamburg auf der Reeperbahn,
da war ich nicht ganz klar ...

Mensch, das mit dem Perfekt,
das geht doch wunderbar!

PROJEKT

Lesen Sie nicht nur die Texte im Lehrbuch, lesen Sie auch so oft wie möglich andere deutsche Texte.
Sie leben in einem deutschsprachigen Land?
Dann gehen Sie in ein Reisebüro und fragen Sie nach Prospekten und Informationen über Reisen in Ihr Heimatland.
Sie lernen in Ihrem Heimatland Deutsch?
Dann gehen Sie zur Touristen-Information und fragen Sie nach Prospekten und Informationen für deutsche Touristen.
Lesen Sie und unterstreichen Sie alle Informationen, die Sie verstehen.

ARBEITS[BUCH] 22–[…]

G Rund um den Urlaub

G 1 Lesen Sie die Texte. Welche Überschrift passt wo?

USA ganz anders ◆ Reisefreiheit ◆ Touristen

Vermischtes

A

Wer dieses Jahr
Nicht reisen will,
Darf zu Hause bleiben.
Noch kann man reisen
Nach Deutschland
In Deutschland
Aus Deutschland.
Noch muss man nicht.

B

Sie sind abgeflogen,
aber nicht angekommen.
Sie haben besichtigt,
aber nicht kennen gelernt.
Sie haben gehört,
aber nicht verstanden.
Sie haben fotografiert,
aber nicht gesehen.
Sie haben gekauft,
aber nicht erlebt.
Sie haben gesucht,
aber nicht gefunden.
Sie sind zurückgefahren
und haben viel erzählt.
Jetzt planen sie
den nächsten Urlaub.

C

Reisebüro Stempfl
und World Wide Gruppenreisen
präsentieren:

Amerika

Einmalig in Deutschland

- deutsche Organisation
- deutsche Qualität
- deutsche Reiseleitung
- deutsche Sprache
- deutscher Fahrer
- deutscher **** Mercedes-Bus

G 2 Welche Aussagen passen zu welchem Text? Markieren Sie.

1 „Was? Du bist nicht in die Ferien gefahren? Das verstehe ich nicht. Wenigstens einmal im Jahr wegfahren – das muss schon sein."
2 „Die Ferien waren super – ich habe tolle Souvenirs mitgebracht."
3 „Es war prima organisiert, alles war wie zu Hause …"
4 „Ich habe viele Fotos gemacht. Komm doch mal vorbei, dann zeige ich sie dir."
5 „Ich wollte ja schon immer mal nach Amerika, aber ich kann nicht gut Englisch. Da habe ich neulich ein interessantes Angebot gesehen: …"
6 Viele Leute fahren nur deshalb in die Ferien, weil die Nachbarn auch fahren.
7 Viele Touristen wollen die Kultur ihres Urlaubslandes gar nicht richtig kennen lernen.

H Kurz & bündig

Das Perfekt (2) § 11

Freitagnachmittag **sind** wir von Frankfurt nach Bangkok **geflogen.**
Wir **sind** völlig kaputt in Bangkok **angekommen.**
Wir **haben** überall Stadtrundfahrten **gemacht** und in Las Vegas eine Show **besucht.**

Perfekt mit „haben“	**Perfekt mit „sein“**
Hast du Freunde **besucht?**	Ja, ich **bin** mit dem Zug nach Heidelberg zu Conny **gefahren.**
Was **hast** du am Abend **gemacht?**	Ich **bin** in eine Kneipe **gegangen.**
Hast du im Hotel gut **geschlafen?**	Nein, ich **bin** spät **eingeschlafen.**

Das Partizip Perfekt (2) § 11

regelmäßige Verben		**unregelmäßige Verben**	
machen	**ge**mach**t**	fliegen	(ist) **ge**flog**en**
suchen	**ge**such**t**	schlafen	**ge**schlaf**en**
warten	**ge**warte**t**	bleiben	(ist) **ge**blieb**en**
	trennbare Verben		
abholen	ab**ge**hol**t**	ankommen	an**ge**komm**en**
einkaufen	ein**ge**kauf**t**	abfliegen	ab**ge**flog**en**
mitmachen	mit**ge**mach**t**	einschlafen	ein**ge**schlaf**en**
	nicht-trennbare Verben		
besuchen	**be**such**t**	**be**ginnen	**be**gonn**en**
verpassen	**ver**pass**t**	**ver**gessen	**ver**gess**en**
	Verben auf „-ieren“		
telefon**ieren**	telefon**iert**		
repar**ieren**	repar**iert**		
pass**ieren**	(ist) pass**iert**		

Fragen mit „Welch-“

Welch**es Land** liegt **zwischen** Hessen und Sachsen, **in der Mitte von** Deutschland?
Welch**e Burg** liegt **bei** Eisenach?
Welch**er Fluss** fließt **von** Dresden **nach** Hamburg?
Welch**es Gebirge** liegt **im Südwesten von** Deutschland?
Welch**e Seen** liegen **in der Nähe von** München?
Welch**e Städte** liegen **an der Ostsee, nordöstlich von** Hamburg?

Nützliche Ausdrücke

Wo möchten Sie gerne Urlaub machen? ↗	In Frankreich. ↘ **Ich wollte schon immer einmal** nach Frankreich fahren. ↘
Wie möchtest du gerne Urlaub machen? ↗	**Ich möchte gerne** einmal eine Kreuzfahrt machen. ↘
Was ist für dich im Urlaub wichtig? ↘	Einfach mal **nichts tun,** → **Zeit für** die Familie **haben,** etwas **Sport treiben.** ↘
Das Hotel war **ziemlich** teuer. ↘	Es war nicht billig, → aber **sehr** schön. ↘
Die Tempel waren **etwas** langweilig. ↘	Wieso? ↗ Die waren doch **sehr** interessant. ↘
Die Reise war **ganz schön** anstrengend. ↘	Und sehr teuer. ↘ Ich bin **wirklich** sauer. ↘
Ich bin völlig kaputt. ↘	**Gott sei Dank ist nichts passiert.** ↘
Ich bin **fix und fertig.** ↘	**Schade!** ↘

Das mit (dem Perfekt / ...), → **das geht doch schon sehr gut!** ↘

„Gesundheit!" – „Danke!"

LEKTION 3

Gesundheit ist nicht alles,
aber ohne Gesundheit ist alles nichts.
(ARTHUR SCHOPENHAUER)

A Der Körper

A 1 Schreiben Sie die Wörter zu den Körperteilen.

Auge das, -n ◆ Nase die, -n ◆ Mund der, ¨er ◆ Kopf der, ¨e ◆ Ohr das, -en ◆ Busen der, - ◆
Rücken der, - ◆ Brust die, ¨e ◆ Fuß der, ¨e ◆ Bauch der, ¨e ◆ Bein das, -e ◆ Arm der, -e ◆
Hals der, ¨e ◆ Schulter die, -n ◆ Finger der, - ✓◆ Haar das, -e ◆ Knie das, - ✓◆ Hand die, ¨e ◆ …

Was kann man alles mit den Händen, mit den … machen?

mit den Händen	*mit den Füßen*	*mit dem Mund*
Klavier spielen	*joggen*	*singen*
kochen	…	…
Briefe schreiben		

ARBEITSBUCH 1–2

A 2 **Was fehlt den Leuten? Welche Schmerzen und Krankheiten haben sie?**

KRANK-HEITEN

Welche Krankheiten kennen Sie noch?

Diabetes, Grippe,

ARBEIT 3

A 3 **Welche Krankheiten und Körperteile hören Sie in den Dialogen? Sortieren Sie.**

14-17

Schmerzen ◆ Rückenschmerzen ◆ Magenschmerzen ◆ Kopfschmerzen ◆ Schnupfen✓◆ Übergewicht ◆ Husten ◆ Erkältung ◆ Fieber ◆ hoher Blutdruck ◆ Allergie ◆ Lunge ◆ Kopf ◆ Rücken

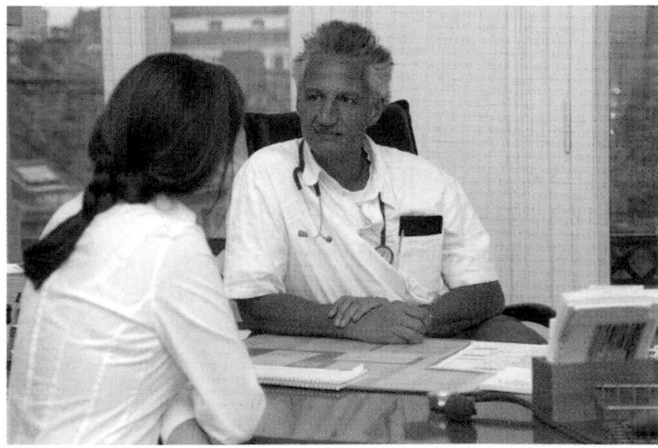

Dialog

1 *Schnupfen,*

2

3

4

A 4 Welche Ratschläge passen zu welchen Dialogen? Sortieren Sie.

Sie sollten … / Du solltest …

viel trinken ◆ Medikamente (Tabletten, Tropfen) nehmen ◆ Sport treiben ◆ abnehmen ◆ weniger Fleisch und Wurst essen ◆ die Ernährung umstellen ◆ zu Hause bleiben ◆ mehr Obst und Gemüse essen ◆ zum Arzt gehen ◆ im Bett bleiben ✓ ◆ regelmäßig schwimmen gehen

1 Erkältung

im Bett bleiben,

2 Hoher Blutdruck

3 Rückenschmerzen

4 Allergie

	Komparativ
viel	mehr
wenig	weniger

14-17 **Hören Sie noch einmal und vergleichen Sie.**

ARBEITSBUCH 4–5

A 5 Arbeiten Sie in Gruppen und geben Sie Ratschläge.

Jede Gruppe schreibt acht bis zehn Probleme auf. Dann nennt jede Gruppe abwechselnd ein Problem, die anderen Gruppen geben Ratschläge. Für jeden passenden Ratschlag gibt es einen Punkt.

Ratschläge geben
Sie **sollten** mehr Sport treiben.
Du **solltest** weniger rauchen.

Ich habe starke Kopfschmerzen.

Sie sollten eine Tablette nehmen.

Du solltest weniger rauchen.

ARBEITSBUCH 6–7

B Gesunde Ernährung

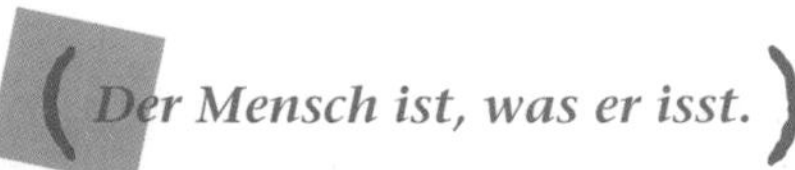

B 1 Lesen Sie den Text und ergänzen Sie die Nummern im Schaubild.

Sieben Dinge braucht Ihr Körper

Bei einer vollwertigen Ernährung ist es wichtig, „was" wir essen und trinken. Der Ernährungskreis gibt uns einen guten Überblick. Alle Lebensmittel sind hier in sieben Gruppen geordnet:

1 Getreideprodukte
2 + 3 Gemüse und Obst
4 Getränke
5 Milchprodukte
6 Fisch und Fleisch
7 Fett

Wer sie täglich in der richtigen Menge auswählt, der bleibt schlank, fit und gesund. Bevorzugen Sie frische Lebensmittel. Essen Sie täglich und reichlich Lebensmittel aus den Gruppen 1 bis 5. Essen Sie weniger Lebensmittel aus den Gruppen 6 und 7. Wechseln Sie vor allem bei der Wahl von Lebensmitteln aus der Gruppe 6 konsequent ab.

B 2 Welche Lebensmittel gehören zu welcher Gruppe? Schreiben Sie.

1 Getreideprodukte: *Brot, Nudeln* ________
2 Gemüse: ________
3 Obst: ________
4 Getränke: ________
5 Milchprodukte: ________
6 Fisch und Fleisch: ________
7 Fett: ________

Was essen und trinken Sie oft, nicht so oft, gar nicht?

Ich esse …

…

B 3 **Machen Sie ein Quiz. Fragen und raten Sie zu zweit und notieren Sie die Antworten.**

1 Wer nimmt schneller ab? Frauen oder Männer?
2 Wie viel Stück Würfelzucker sind in einem Glas Cola?
3 Kosten Light-Produkte mehr oder weniger als andere Lebensmittel?
4 Wie viel wiegt der dickste Mensch?
5 In welchem Land leben die Menschen am längsten?
6 Machen Deutsche lieber Fasttage oder lange Diäten?
7 Wie alt wurde der älteste Mensch?
8 Wie groß ist der größte Mensch?
9 Wie lange hat die längste Ehe der Welt gedauert?

- ■ *Wer nimmt schneller ab? Frauen oder Männer? Was meinst du?*
- ● *Ich weiß nicht. Vielleicht Männer.*
- ■ *Wie viel Stück Würfelzucker sind in einem Glas Cola?*
- ● *Keine Ahnung.*
- ■ *Rate doch mal.*
- ● *Vielleicht zwei.*

…

B 4 **Lesen Sie die Texte und vergleichen Sie mit Ihren Antworten.**

Haben Sie gewusst,

… **dass** Männer schneller abnehmen als Frauen? Das hat ein amerikanischer Professor durch Untersuchungen festgestellt.

… **dass** ein Glas Cola elf Stück Würfelzucker enthält?

… **dass** Light-Produkte nicht unbedingt weniger Kalorien enthalten als normale Lebensmittel? Aber sie sind teurer als andere Lebensmittel.

… **dass** der dickste Mensch der Welt 404 Kilo wiegt?

… **dass** Fasttage bei den Deutschen beliebter sind als lange Diäten?

… **dass** die Menschen in Japan älter werden als Menschen in anderen Ländern? Sie essen am gesündesten.

… **dass** der älteste Mensch (der Japaner Shigechiyo Izumi) 120 Jahre alt wurde?

… **dass** der größte Mensch der Welt 231,7 cm groß ist?

… **dass** die längste Ehe der Welt 86 Jahre gedauert hat? Sir und Lady Nariman aus Bombay wurden 1853 mit fünf Jahren verheiratet. Der Ehemann ist 1940 gestorben.

„dass"-Sätze

Nach einigen Verben wie **wissen, glauben, meinen, vermuten** steht oft ein „dass"-Satz.

„Dass"-Sätze sind Nebensätze wie „weil"- und „obwohl"-Sätze. Das Verb steht am Ende.

Ich **glaube, dass** Nikos im Kurs **ist.** *oder:* Ich glaube, Nikos **ist** im Kurs.

B 5 Markieren Sie alle Adjektiv-Formen in B 3 + B 4 und ergänzen Sie.

	Komparativ	Superlativ	
wenig	weniger	am wenigsten	die/der/das wenigste/die wenigsten
viel	mehr	am meisten	die/der/das meiste/die meisten
dick	dicker		die/der/das
alt		am ältesten	die/der/das älteste
schnell		am schnellsten	die/der/das
lang	länger		die/der/das
gesund	gesünder	am gesündesten	die/der/das
beliebt		am beliebtesten	die/der/das
teuer		am teuersten	die/der/das teuerste/die teuersten
gern		am liebsten	die/der/das liebste/die liebsten
groß	größer		die/der/das

! als ◆ Superlativ ◆ -er ◆ ä, ö, ü

1 Adjektive kann man steigern.
Man bildet den Komparativ meistens mit der Endung __________ .
Oft werden „a, o, u" zu ______ , ______ , ______ .
2 Vergleicht man Menschen oder Sachen, benutzt man den Komparativ + __________ .
3 Es gibt zwei ____________-Formen: mit „am" oder „die, der, das" und der Endung „-(e)sten".
4 Es gibt einige unregelmäßige Formen:

gut	*besser*	*am besten, die/der/das beste/die besten*
viel	*mehr*	
gern		
teuer		
hoch	*höher*	*am höchsten*

Lernen Sie diese Formen extra.

B 6 Vergleichen Sie die Leute. Wen finden Sie interessanter, schöner, sympathischer ... ?

Ich finde Steffi Graf interessanter als Claudia Schiffer.

B 7 **Schreiben Sie Ihre „Top Ten" von Lebensmitteln und vergleichen Sie sie mit der Grafik. Machen Sie im Kurs eine Statistik. Welche Lebensmittel stehen auf den Plätzen 1 bis 10?**

Kennen Sie die „Top Ten" in Ihrem Heimatland? Berichten Sie.

ARBEITSBUCH 13–14

C Essen in Deutschland

C 1 **Die Leute sprechen über ihre Essgewohnheiten. Zu wem passt welche Aussage?**

1 **Peter Steinmann**
38, Werbemanager

2 **Inga Ostner**
68, Rentnerin

3 **Janina Metz**
23, Model

4 **Stefan Haller**
13, Schüler

Eisbein? Igitt!! ◆ Appetit auf Honig! ◆
Nach dem Essen einen Kognak und eine Havanna! ◆ Pommes statt Obst!

18-21 **Hören und vergleichen Sie.**

C 2 **Was passt zu welcher Person? Hören und markieren Sie.**

18-21

	Person	1	2	3	4
Frühstück	isst morgens Müsli	X			
	isst morgens Brot (Toast, Brötchen, Knäckebrot)				
	isst morgens Cornflakes oder Kuchen				
Mittagessen	isst mittags so richtig				
	hat mittags nicht viel Zeit zum Essen	X			
	geht mittags zum Schnell-Imbiss				
Abendessen	isst abends so richtig				
	isst abends oft Gemüse				
	isst abends nur ganz wenig				
zwischendurch	isst Obst				
	isst gern Süßes: Schokolade ...				
	isst trockenes Brötchen und Banane				

Ernähren sich die Leute gesund? Was meinen Sie?

C 3 Ergänzen Sie die Sätze.

… gibt es nur Würstchen ✓ ◆ … dann hole ich mir das auch. ◆ … dann wird uns schlecht. ◆ … kaufe ich mir eben ein Brötchen und eine Banane. ◆ Ich frühstücke erst in der Schule … ◆ … koche ich abends so richtig. ◆ … sieht man das auch an meiner Haut.

1 Peter: Wenn keine Zeit bleibt, *gibt es nur Würstchen.*
2 Peter: Wenn ich Lust und Zeit habe, ______
3 Inga: Wenn ich Appetit auf etwas habe, ______
4 Janina: Wenn ich beim Job Hunger habe, ______
5 Janina: Wenn ich mal drei Tage ganz normal gegessen habe, ______
6 Stefan: ______, wenn Pause ist.
7 Stefans Mutter: Wenn wir solche Sachen essen, ______

18-21 **Hören und vergleichen Sie.**

C 4 Schreiben Sie zu jedem Modell einen passenden Satz und ergänzen Sie die Regel.

1 **Nebensatz,** **wenn** + Aussage 1 — **Hauptsatz** Aussage 2

	Subjekt	Verb(en)		
Wenn	**keine Zeit**	**bleibt**,	**gibt**	**es nur ein Würstchen.**
Position	1		2	

2 **Hauptsatz,** Aussage 1 — **Nebensatz** **wenn** + Aussage 2
← *Bedingung*

		Subjekt	Verb(en)
Ich frühstücke erst,	**wenn**	**Pause**	**ist**.

!
1 „Wenn"-Sätze sind ______ wie „weil"- und „obwohl"-Sätze.
2 Das ______ im „wenn"-Satz steht immer am Ende.
3 Das Subjekt steht nach ______ .
4 Zwischen Hauptsatz und Nebensatz steht ein ______ .

ARBEITS 15–

C 5 Was machen Sie, wenn … ? Üben Sie in Gruppen.

1 Es ist drei Uhr nachts. Das Telefon klingelt.
2 Sie sind traurig / sauer / verliebt / krank / nervös …
3 Sie sind im Restaurant und wollen bezahlen. Sie haben Ihr Geld vergessen.
4 Sie wollen abnehmen.
5 Sie haben Kopfschmerzen.
6 Sie haben Geburtstag.
7 Ihr Nachbar hört laut Musik.
8 Sie haben Liebeskummer.

■ *Was machen Sie, wenn um drei Uhr das Telefon klingelt?*
● *Ich gehe ans Telefon und sage Hallo.*
▲ *Was? Ich gehe nachts nicht ans Telefon. Ich schlafe weiter.*
▼ *Ich habe kein Telefon.*

■ *Was machst du, wenn du traurig bist?*
● *Ich gehe ins Kino und schaue mir einen lustigen Film an.*
…

Finden Sie weitere Fragen.

D Zwischen den Zeilen

D 1 „Wenn“ oder „wann“? Hören und markieren Sie.

22-26

Dialog	1	2	3	4	5
wenn					
wann	X				

Mit „wann“ fragt man nach der Uhrzeit, dem Tag, der Woche, dem Monat, dem Jahr.

Wann = Frage — **Wann** bist du zu Hause? Um neun.

Mit „wenn“ nennt man die Bedingung für die Aussage im Hauptsatz.

Wenn = Nebensatz — **Wenn** ich in London bin, dann schreibe ich dir gleich eine Karte.

D 2 Was passt, „wenn“ oder „wann“? Ergänzen Sie.

1 ● *Wann* ______ gehen wir ins Kino?
■ Um sieben.
● Und was machen wir, ______ es keine Karten mehr gibt?
■ Dann gehen wir in die Spätvorstellung.
● ______ fängt die denn an?
■ Ich weiß nicht genau, so um zehn oder halb elf.
● Und ______ das auch nicht klappt?
■ Dann gehen wir halt in die Kneipe.

2 ▲ ______ musst du denn ins Krankenhaus?
▼ Nächste Woche, am Montag.
▲ Und wie lange dauert das alles?
▼ Eine Woche, ______ alles gut geht.
▲ Soll ich dich mal besuchen?
▼ Ja, das wäre schön.
▲ ______ sind die Besuchszeiten?
▼ Ich glaube, es gibt keine festen Zeiten. Komm einfach vorbei, ______ du mit der Arbeit fertig bist.

3 ▲ Kannst du mir morgen beim Renovieren helfen?
■ Klar. ______ ich morgen nicht zu lange arbeiten muss, komme ich vorbei.
▲ ______ denn ungefähr?
■ So gegen sieben.
▲ Ach, das ist ja toll. Du bist ein Schatz.
■ ______ es später wird, rufe ich dich an.

27-29

Hören und vergleichen Sie.

ARBEITSBUCH 21–23

E Der Ton macht die Musik

30

satt Ich möchte nichts mehr essen.
Schicht, die -en mal tags, mal nachts arbeiten
down fix und fertig
etwas zu kauen etwas zu essen
scharf mit vielen Gewürzen
blau Du hast zu viel Alkohol getrunken.
flau schlecht
ich kriege sie Meine Frau schimpft mit mir.
nach meinem Geschmack Das finde ich gut.

Currywurst

(von Herbert Grönemeyer*)

Gehst du in die Stadt
was macht dich da satt
eine Currywurst.

Kommst du von der Schicht
Etwas Schöneres gibt es nicht
Als Currywurst.

Mit Pommes dabei
Ach, dann geben Sie gleich zweimal Currywurst.

Bist du richtig down
brauchst du etwas zu kauen
eine Currywurst.

Willi, komm geh mit
Ich kriege Appetit
auf Currywurst.

Ich brauche etwas im Bauch
Für meinen Schwager hier auch noch eine Currywurst.

Willi, ist das schön
Wie wir zwei hier stehen
Mit Currywurst.

Willi, was ist mit dir
Trinkst du noch ein Bier
Zur Currywurst.

Kerl scharf ist die Wurst
Mensch das gibt einen Durst, die Currywurst.

Bist du dann richtig blau
Wird dir ganz schön flau
Von Currywurst.

Rutscht das Ding dir aus
Gehst du dann nach Haus
Voll Currywurst.

Auf dem Hemd, auf der Jacke
Kerl was ist das eine K... alles voll Currywurst.

Komm Willi
Bitte, bitte komm geh mit nach Hause
Hör mal, ich kriege sie, wenn ich so nach Hause komme

Willi, Willi bitte du bist ein Kerl nach meinem Geschmack
Willi. Willi komm geh mit, bitte Willi

* Herbert Grönemeyer, geb. 1956 in Göttingen, Schauspieler und Musiker. Bekannt durch seine Hauptrolle im Film „Das Boot" (1981) sowie durch sein Musikalbum „Bochum" (1984) mit dem Single-Hit „Männer". Sein Album „Mensch" (2002) war ein sensationeller Erfolg mit über fünf Millionen verkauften CDs.

ARBEITS 24

F Im Restaurant: Essen in Hessen

F 1 Was essen und trinken die Deutschen gern? Kennen Sie eine typisch deutsche Speise?

■ *Die Deutschen essen viel Kartoffeln und Sauerkraut,↘ oder? ↗*
● *Die Deutschen trinken gern …*

F 2 Sprechen Sie über die Speisekarte.

1 Welche Speise haben Sie schon einmal gegessen? Welche Getränke kennen Sie?
2 Welche Speisen essen Sie gern/nicht gern?
3 Was ist gesund/ungesund? Warum?
4 Bestellen Sie ein Menü (Vorspeise, Hauptgericht und Dessert).
5 Welche Speisen kennen Sie nicht? Welche möchten Sie einmal probieren?

Vorspeisen

Suppen

Gulaschsuppe & Brot	2.90
Tomatencremesuppe	3.50
Tagessuppe	2.90

Hauptgerichte / warme Speisen

Vom Rind

argent. Steak, Kräuterbutter, Bratkartoffeln und Salat	12.00
Wiener Schnitzel, Bratkartoffeln und Salat	9.50
Rinderrouladen mit Salzkartoffeln u. grünem Salat	9.50

Vom Schwein

Frankfurter Würstchen mit Kraut und Brot	3.50
Jägerschnitzel, Bratkart. und Salat	7.80
Schlachtplatte m. Kraut und Brot	6.00

Vegetarische Speisen

Gemüseauflauf	7.50
Grüne Soße, 4 halbe Eier, Salzkartoffeln	6.00

Kalte Speisen

Handkäs' mit Musik	3.50
Schneegestöber mit Brot	4.00
Strammer Max	5.00
Frikadelle mit Brot	3.90

Salatteller

Bauernsalat mit Schafskäse und Knoblauchbrötchen	6.90
Feldsalat mit Ei, gebratenem Speck u. Knoblauchbrötchen	7.00

Dessert

Portion gemischtes Eis mit Sahne	3.50
Obstsalat	3.90

Heisse Getränke

Tasse Kaffee	1.60
Cappuccino	2.00
Espresso	1.50
Heiße Schokolade	2.00
Glas Tee, diverse Sorten	1.60
Glühwein	2.00

Nicht-alkoholische Getränke

Selters Mineralwasser	0.25	1.70
Cola / Cola Light / Sinalco	0.3	1.90
Spezi	0.3	1.90
Apfelsaft	0.2	1.80
Apfelsaftschorle	0.2	1.60
Orangensaft	0.2	1.90

Biere

Binding Lager	0.3	2.00
Clausthaler (alkoholfrei)	0.33 Fl	1.90
Radler / Cola-Bier	0.3	2.00
Dunkles Weizen	0.5 Fl	2.50
Kristall Weizen	0.5 Fl	2.50

Weine

Weißweine

Müller-Thurgau halbtrocken	0.2l	2.40
Riesling trocken	0.2l	2.60

Rotweine

Bordeaux	0.2l	3.10
Französischer Landwein	0.2l	2.30

Roséweine

Weißherbst	0.2l	2.60
Mateus	0.25l	3.20

Schorle

Weißweinschorle süß/sauer	0.2l	2.10

F 3 **Was ist das? Raten Sie.**

1 Jägerschnitzel ◆ 2 Handkäs' mit Musik ◆
3 Sauergespritzter ◆ 4 Schneegestöber ◆
5 Schlachtplatte ◆ 6 Strammer Max ◆
7 Spezi ◆ 8 Tagessuppe

- ☐ Apfelwein mit Mineralwasser
- ☐ Cola und Fanta
- ☐ Bauernbrot mit Schinken und Spiegelei
- ☐ ein spezieller Käse mit Zwiebeln, Essig und Öl
- ☐ verschiedene Wurst- und Fleischsorten (gekocht)
- ☐ ein Stück Fleisch mit Pilzsoße
- ☐ heute: Hühnersuppe, morgen…
- ☐ eine Mischung aus Camembert und Frischkäse mit Gewürzen und Zwiebeln

ohne	ein Gericht **ohne** Fleisch
mit	eine Suppe **mit** Gemüse und Fleisch
aus	eine Creme **aus** Schokolade

31

Hören und vergleichen Sie.

ARBEIT: 29–

F 4 **Woher kommen die Speisen? Was ist was? Raten Sie.**

1 **Minestrone**
2 **Paella**
3 **Mousse au chocolat**
4 **Börek**
5 **Köttbullar**
6 **Miso-Suppe**

☐ Italien	☐ Fleischbällchen
☐ Türkei	☐ Schafskäse mit Spinat in Blätterteig
☐ Frankreich	☐ Gemüsesuppe mit Speck
☐ Spanien	☐ süße Creme aus Schokolade und Sahne
☐ Japan	☐ Reisgericht mit Fisch und Gemüse
☐ Schweden	☐ Suppe aus Sojabohnenpaste mit Tofu

F 5 **Beschreiben Sie kurz ein typisches Gericht aus Ihrem Land oder Ihr Lieblingsgericht.**

■ *Ein typisches Gericht in Japan ist Tempura.*

▲ *Das sind frittierte Garnelen mit Gemüse. Das esse ich sehr gern.*

…

PROJEKT

Sprechen Sie so oft wie möglich Deutsch!

Wenn Sie in einem deutschsprachigen Land sind, dann fragen Sie nach allem Möglichen:
- Fragen Sie Leute auf der Straße nach der Uhrzeit.
- Fragen Sie am Bahnhof, welcher Zug wohin fährt, wann der Zug fährt, wo der Zug fährt ...
- Fragen Sie im Geschäft nach den Preisen, nach dem Material ...
- Fragen Sie im Restaurant, im Café, was für eine Speise oder was für ein Getränk auf der Speisekarte steht (wie in F3).

Wenn Sie in Ihrem Heimatland Deutsch lernen, dann ...
- machen Sie mit einer Kursteilnehmerin/einem Kursteilnehmer ein Spiel. Reden Sie jeden Tag eine halbe Stunde Deutsch zusammen - nicht nur im Unterricht!
- Suchen Sie Plätze, wo Deutsch gesprochen wird: deutsche Restaurants, Firmen, die Universität ...
- Sprechen Sie Deutsch mit Touristen. (Woher kommen Sie? Wie finden Sie... ?)

Sammeln Sie diese Fragen in einem Heft und üben Sie täglich.

G Kurz & bündig

Probleme	**Ratschläge**
Ich habe Grippe.	Sie soll**ten** mal zum Arzt gehen.
Ich habe Fieber.	Du soll**test** besser zu Hause bleiben.
Ich habe Rückenschmerzen.	Sie soll**ten** regelmäßig schwimmen gehen.

Komparativ § 22

Wer nimmt schnell**er** ab? Männer oder Frauen?	Ich weiß nicht.
Männer nehmen schnell**er** ab als Frauen.	
Wen finden Sie schön**er**? Claudia Schiffer oder Steffi Graf?	Ich finde Steffi Graf schön**er als** Claudia Schiffer.
Wen finden Sie interessant**er**? Michael Schumacher oder Herbert Grönemeyer?	Herbert Grönemeyer, natürlich.
Haben Light-Produkte **mehr** oder **weniger** Kalorien **als** normale Lebensmittel?	Keine Ahnung. **Weniger**, oder?

Superlativ § 22

Wie viel wiegt **der** dick**ste** Mensch?	Vielleicht 210 Kilo.
Nein, noch mehr, 404 Kilo.	
Wie alt wurde **der** ält**este** Mensch?	105 Jahre?
Nein, 120!	
In welchem Land leben die Menschen **am** läng**sten**?	In Japan.
Stimmt. Weil sie **am** gesünd**esten** essen.	

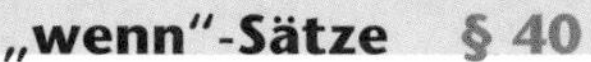

„wenn"-Sätze § 40

Was machen Sie, **wenn** Sie krank **sind**?	Ich gehe sofort zum Arzt.
Was machen Sie, **wenn** Ihr Nachbar laut Musik **hört**?	**Wenn** mein Nachbar laut Musik **hört**, dann stelle ich mein Radio lauter.
Was machen Sie, **wenn** Sie traurig **sind**?	**Dann** gehe ich in die Disko.
Wann rauchen Sie?	**Wenn** ich viel Stress **habe**.

„dass"-Sätze

Weißt du eigentlich, **dass** ein Glas Cola elf Stück Würfelzucker **enthält**?	Was? Ich trinke nie mehr Cola.
Haben Sie gewusst, **dass** der größte Mensch der Welt 231,7 cm groß **ist**?	Na und?

Nützliche Ausdrücke

Was fehlt Ihnen denn? ↘	Ich habe Kopfschmerzen. ↘
„Hatschi!" ↘	**Gesundheit**! ↘
Danke! ↘	
Ich habe starke Kopfschmerzen. ↘	
Ich gehe nach Hause. ↘	Tschüs und **gute Besserung**! ↘
Kennen Sie Mousse au chocolat? ↗	**Nein**, **was ist das denn?** ↘
Eine Creme **aus** Schokolade und Sahne. ↘	
Können Sie mir sagen, → **was Handkäs' mit Musik ist?** ↗	Ja, natürlich. ↘ **Das ist ein** magerer Käse **mit** Zwiebeln, → Essig und Öl. ↘
Gut, → den probiere ich mal. ↘	
Guten Appetit! ↘	Danke, → **gleichfalls.** ↘

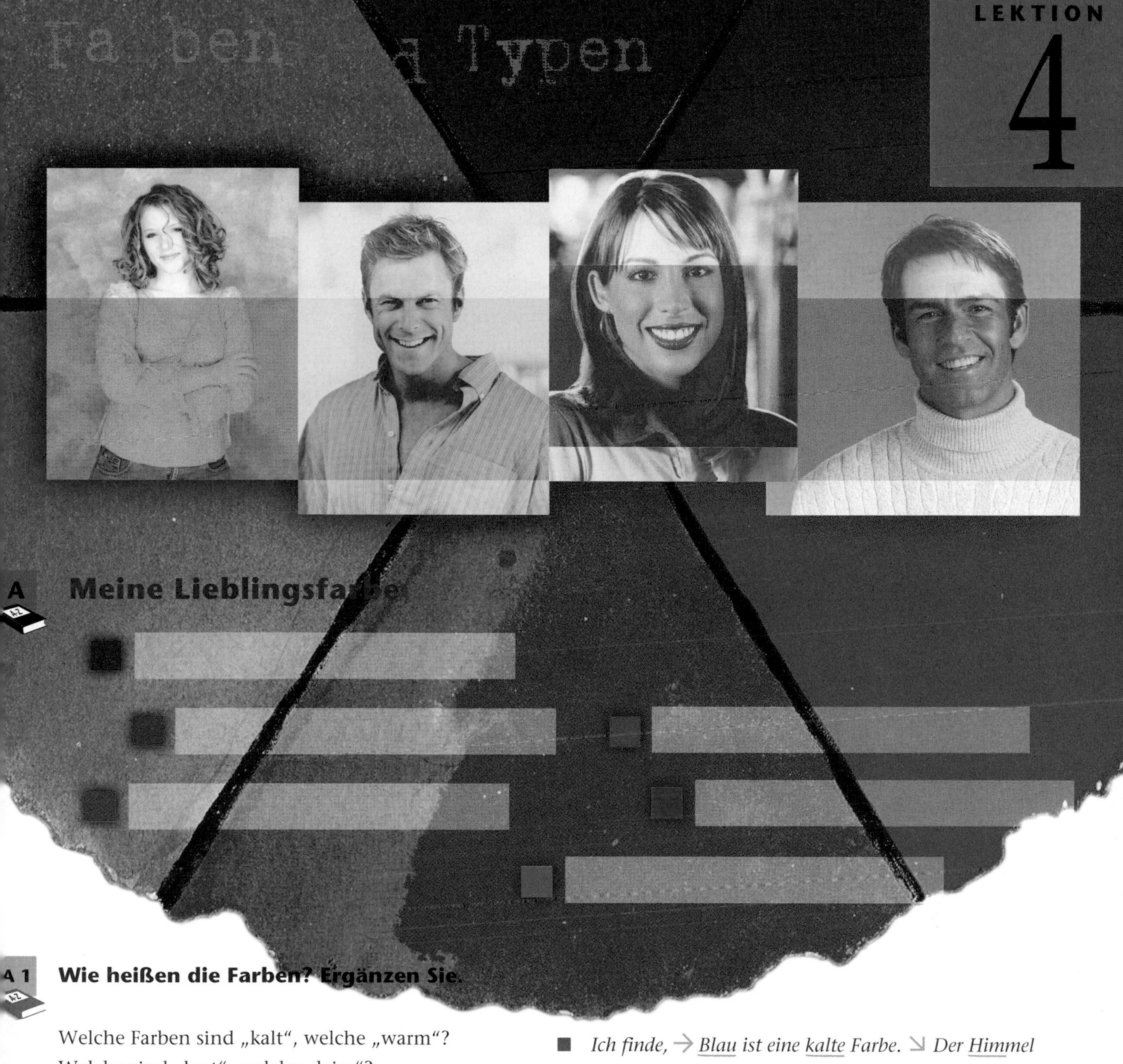

A Meine Lieblingsfarbe

A 1 Wie heißen die Farben? Ergänzen Sie.

Welche Farben sind „kalt", welche „warm"?
Welche sind „laut", welche „leise"?
Welche sind „natürlich", welche „künstlich"?

■ *Ich finde, → Blau ist eine kalte Farbe. ↘ Der Himmel ist blau, das Meer ist blau …*
● *Und Rot ist …*

ARBEITSBUCH 1

A 2 Was passt zu diesen Farben?

Neid ◆ Revolution ◆ Nervosität ◆ Liebe ◆ Fernweh ◆ Glaube ◆ Fantasie ◆ Aberglaube ◆ Angst ◆ Trauer ◆ Hoffnung ◆ Ruhe ◆ Tradition ◆ Kälte ◆ Energie ◆ Wärme ◆ Treue ◆ Aktivität

■ *Neid passt zu Grün.* ↘
● *Grün?* ↗ *Nein,* → *das finde ich nicht.* ↘ *Ich finde,* → *das passt zu Gelb.* ↘
■ *Warum Gelb?* ↘
● *Gelb ist hart.* ↘
■ *Ja,* → *Gelb ist ungesund.* ↘ *Und Neid ist auch ungesund.* ↘
…

A 3 Ergänzen Sie die passenden Farben.

Wenn wir eine Farbe sehen, dann wirkt sie nie allein, sondern immer im Kontrast mit einer zweiten Farbe oder zusammen mit vielen anderen Farben. Helle Farben stehen allgemein für die fröhliche, lichtvolle Seite des Lebens, dunkle Farben stehen für die negativen und dunklen Kräfte.

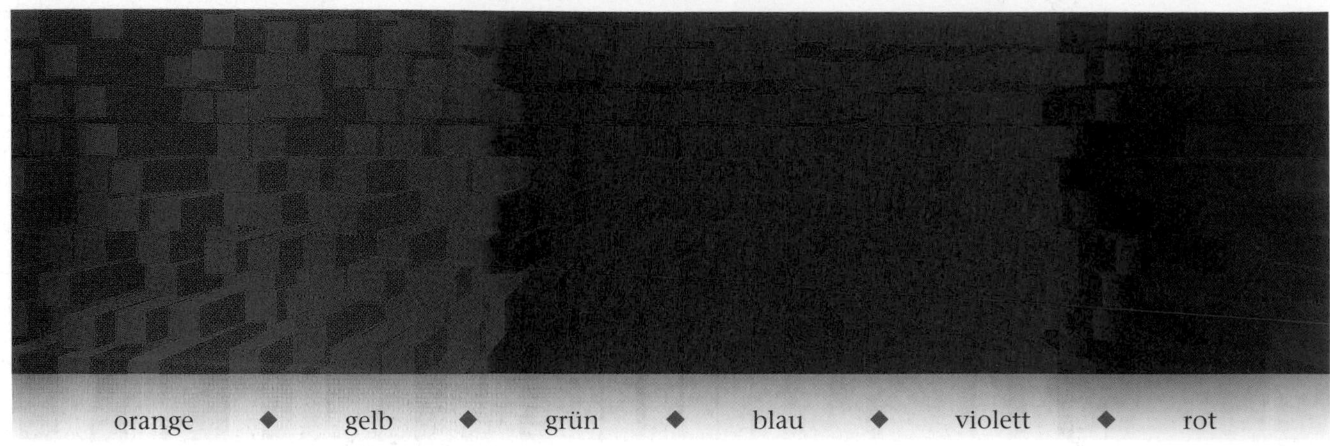

__________ ist die Farbe der Sonne und des Lichts. Diese Farbe ist das Symbol für Wissen, aber sie steht auch für Neid. Besonders hell, heiter und strahlend wirkt sie im Kontrast mit dunklen Farben.

__________ ist vor allem die Farbe der Liebe. Aber es ist auch die Farbe der Revolutionen und Leidenschaften. Diese Farbe fördert das Wachstum der Pflanzen, sie wirkt anregend oder aufregend. Oft signalisiert sie Gefahr.

__________ ist die Farbe des Himmels und das Symbol des Glaubens. Sie steht für Treue und Fernweh zugleich. Sie kann aber auch für den Aberglauben, die Angst und die Trauer stehen.

__________ vermittelt zwischen Gelb und Blau. Es ist die Farbe der Pflanzen, der Fruchtbarkeit, der Ruhe und der Hoffnung. Mit Gelb vermischt wirkt sie jugendlich und frisch – wie ein Frühlingsmorgen.

__________ ist die Mischung von Gelb und Rot. Diese Farbe steht für strahlende Aktivität und warme Energie. Sie zieht die Aufmerksamkeit auf sich, deshalb benützt man sie auch als Signalfarbe für Gefahren, zum Beispiel bei Maschinen und Baustellen.

__________ ist die Farbe des Unbewussten, des Geheimnisses. Diese Farbe ist entweder eher rot oder eher blau. Wenn sie eher blau ist, steht sie für Tod und Einsamkeit. Die rötliche Variante symbolisiert die himmlische Liebe; es ist die Farbe der katholischen Kirche.

Genitiv
Das ist die Farbe **der** Liebe. *(f)*
des Glaubens. *(m)*
des Lichts. *(n)*
der Pflanzen. *(Pl)*

Wie ist das in Ihrem Land? Berichten Sie.

A 4 Was ist Ihre Lieblingsfarbe? Warum?

■ *Ich mag Gelb besonders, → vielleicht, → weil mein Kinderzimmer gelb war. ↘*
● *Meine Lieblingsfarbe ist Blau, → weil …*

ARBEIT

B Blau steht Ihnen gut!

B 1 Welche Farben passen zu diesen Personen? Warum?

Haare	schwarz ◆ blond ◆ braun ◆ rot ◆ grau …
Augen	schwarz ◆ braun ◆ grün ◆ blau ◆ graugrün …
Teint	blass ◆ dunkel ◆ hell …

- ■ *Zu der Frau auf Bild C passt Orange.* ↘
- ● *Orange?* ↗ *Warum?* ↘
- ■ *Ihre Augen sind braun.* ↘
- ● *Aber ihre Haare sind schwarz.* ↘ *Ich finde,* → *Rot steht ihr besser.* ↘
- ■ *Zu der Frau auf Bild A passt Grün.* ↘
- ● *Das finde ich auch.* ↘

Adjektive ohne Nomen verändern sich nicht:
Ihre Haare sind **blond**.

B 2 Lesen Sie den ersten Abschnitt des Textes. Was ist Farbberatung? Welche Typen gibt es?

Machen Sie das Beste aus Ihrem Typ!

Wissen Sie, welche Farben Ihnen gut stehen? In einer Farbberatung können Sie die Antwort finden. Die Idee der Farbberatung kommt aus Amerika: Sie teilt die Menschen in vier Typen ein, die nach den vier Jahreszeiten benannt sind. Das hat nichts damit zu tun, in welcher Jahreszeit man geboren ist oder welches die Lieblingsjahreszeit ist. Für jeden Typ gibt es ideale Farben und Farben, die nicht so gut harmonieren. Wenn man erst einmal „seine" Farben genau kennt, fühlt man sich plötzlich nicht mehr wohl, wenn man andere Farben trägt. Lesen Sie, wie Sie sich optimal kleiden und Ihren Typ betonen können.

B 3 **Lesen Sie den Text und machen Sie Notizen zu *einem* Typ.**

Frühlingstyp
Teint/Haut: hell, blass
Haare: blond
Augen:
Farben:
Foto:

Frühlingstyp

Das besondere Merkmal des Frühlingstyps ist sein zartes, zerbrechliches Aussehen. Seine helle, blasse Haut bekommt bei Aufregung leicht rote Flecken. Trotzdem wird er meistens in der Sonne sehr schnell braun. Die charakteristische Haarfarbe des Frühlingstyps ist blond. Die Augenfarbe des Frühlingstyps? Von Blau über Graugrün bis Goldbraun ist alles möglich, aber ganz dunkle Augen sind selten.

Sommertyp

Die Haut des Sommertyps hat immer einen fast blauen Unterton. Oft haben sie Schatten unter den Augen. Ihre Haare sind aschblond bis mittelbraun. Sie finden das oft „mausgrau" und färben sich die Haare. In der Sonne werden sie schnell zartbraun. Die Augen des Sommertyps können graublau oder hellblau sein, auch hellbraun.

Herbsttyp

Herbsttypen können ganz verschieden wirken, aber typisch für alle ist ein goldener, warmer Unterton der Haut. Die meisten Herbsttypen haben rote oder honigfarbene Haare. Kräftige Sonne ist nichts für sie, denn sie bekommen sehr schnell einen Sonnenbrand. Die Augen des Herbsttyps können grün oder braun sein, helle Töne oder intensives Dunkelbraun.

Wintertyp

Wintertypen faszinieren durch dramatische Kontraste: helle Haut, dunkle Haare und intensive Augenfarben. Die Haut wirkt immer etwas durchsichtig, fast wie Porzellan. Die meisten Wintertypen haben schwarze, braune oder schwarzbraune Haare. Sie bekommen relativ früh die ersten grauen Haare. Die Augenfarbe ist immer klar: Tiefblau, grün, grau oder dunkelbraun.

Dieses Farbsystem gilt für alle Volksgruppen – aber eine gute Mischung der Jahreszeiten ist selten. In Japan zum Beispiel, wo die Menschen nicht von Natur aus helle Haare oder blaue Augen haben, gibt es keine Frühlings- und Sommertypen. Auch in Indien und Afrika sind die meisten Menschen dunkle Herbst- und Wintertypen. In Skandinavien dagegen ist der echte Wintertyp selten, und es gibt dort mehr Frühlingstypen als in Mitteleuropa.
Haben Sie Ihren persönlichen Typ gefunden? Dann lesen Sie jetzt, welche Farben zu Ihnen passen könnten. Der zarte Teint des Frühlingstyps harmoniert mit hellen, klaren Farben: Hellblau, Beige oder Hellbraun. Auch Sommertypen sollten keine grellen Farben tragen. Rauchige Farben stehen Ihnen gut, z. B. Jeansblau, kühles Braun oder Altrosa. Für den Herbsttyp sind erdige Farben richtig: rötliches Braun, Khaki oder Rostrot. Auch ein grünliches Blau passt zu Ihnen. Die Farben des Wintertyps sind die klarsten und kühlsten von allen: Schwarz und Weiß als stärkster Kontrast, knalliges Rot oder tiefes Blau. Kräftiges Pink oder Violett erschlägt andere, für den Wintertyp sind sie ideal. Probieren Sie „Ihre" Farben aus. Den besten Eindruck machen Sie mit den Farben, in denen Sie sich wohl fühlen.

Vergleichen Sie Ihre Ergebnisse.

B 4 **Suchen Sie die Adjektive in B 3, ergänzen Sie die Tabelle und die Regeln.**

	Nominativ	Akkusativ
f	*die charakteristisch_e_ Haarfarbe* *eine gut__ Mischung* *kräftig__ Sonne*	*wie Nominativ* !
m	*der echt__ Wintertyp* *ein golden__ warm__ Unterton* *stärkst__ Kontrast*	*den best__ Eindruck* *einen (fast) blau__ Unterton* *persönlich__ Stil*
n	*das besonder__ Merkmal* *ein grünlich__ Blau* *kühl__ Braun*	*wie Nominativ* !
Plural	*die klarst__ Farben* *erdig__ Farben* *rot__ Flecken*	*die (ersten) grau__ Haare* *rauchig__ Farben* *schwarzbraun__ Haare*

!

1. Alle Adjektive haben vor Nomen mindestens eine e-Endung .
2. Die Genus-Signale sind gleich wie beim bestimmten Artikel: für feminin: ___ , für maskulin: ___ , für neutrum: ___ . Sie stehen am Artikel-Ende oder am ___________ .
3. Im Plural enden die Adjektive nach Artikel auf ______ .
4. Nominativ und Akkusativ sind gleich bei *f*, *n* und *Plural*. Nur bei *m* steht im Akkusativ Singular bei Artikel und Adjektiv ein ________ .
5. Adjektive ohne Nomen haben keine Endung, sie verändern sich nicht: „Ihre Augen sind braun ."

B 5 Spielen Sie in Gruppen Farbberatung.

ARBEITSBUCH 4–12

C Kleiderkauf

Mode
FÜR LEUTE MIT IDEEN

Bluse in aktuellen Farben, pflegeleicht 69,–
Weste 69,–
Rock mit Gürtel 59,–

Blazer in klassischer Form
Gr. 36–48
149,–

T-Shirt 49,–
Jeans, Used Look 149,–
(ohne Gürtel)

Jeans mit modischem Gürtel 89,–

Modischer Sakko, Mischgewebe (Leinen/Viskose) 178,–
Baumwoll-Hemd, bügelfrei 49,–
Seiden-Krawatte 39,80
Baumwoll-Hose, bügelfrei 89,–

OUTFIT
Große Mode zum kleinen Preis!

C 1 Was trägt sie? Was trägt er? Sortieren Sie.

Welche weiteren Kleidungsstücke kennen Sie? Ergänzen Sie.

C 2 Welche Kleider kauft Frau Zimmermann? Hören und markieren Sie.

32

Wir sind die erfolgreiche Tochter eines internationalen Pharma-Konzerns. Für unseren Geschäftsbereich **Business Development** suchen wir zum nächstmöglichen Termin eine/n

Fremdsprachensekretär/in

mit sehr guten Englisch- und Französisch- sowie PC-Kenntnissen (Word, Excel, grafische Programme). Flexibilität, Belastbarkeit, Organisationstalent, Gewandtheit und sympathisches Auftreten zeichnen Sie aus. Wir bieten ein angenehmes, offenes Arbeitsklima in einem jungen Team.
Bitte senden Sie uns Ihre vollständigen Unterlagen an

ASSEX Pharma GmbH
August-Wehler-Str. 38

- das dunkelblaue Kostüm
- den rosafarbenen Blazer
- die rosafarbene Hose
- die dunkelbraune Hose
- die helle Seidenbluse
- das dunkelbraune T-Shirt

Farben ohne Endungen:
Die Bluse ist **rosa**.
→ eine rosa**farbene** Bluse
Der Blazer ist **türkis**.
→ ein türkis**farbener** Blazer
Das Hemd ist **lila**.
→ ein lila**farbenes** Hemd.

C 3 Hören Sie noch einmal und ergänzen Sie den Text.

32

● ______ Kostüm hätten Sie denn gern? Eins für jeden Tag, oder soll es für einen besonderen Anlass sein?
■ Nein, schon ______ für einen besonderen Anlass, für ein Vorstellungsgespräch.
● Aha, … und an ______ Farbe haben Sie gedacht?
■ Hm …, an ______ dunkle, vielleicht dunkelgrün oder dunkelblau …?
● Ich zeige Ihnen gern ein paar Kostüme. Welche Größe haben Sie? 38?
■ Ja, 38 oder 40. Das kommt darauf an …

● So, hier sind einige Blazer in ganz aktuellen Farben.
▲ Oh, schau mal, das sieht doch toll aus.
■ ______ meinst du denn? ______ türkisfarbenen oder ______ rosafarbenen?
▲ Hier, den rosafarbenen.
■ Aber was für einen Rock soll ich denn dazu anziehen?
▲ Na, einen dunklen in Braun oder in Schwarz.
● Ich habe Ihnen hier einen Rock und eine Hose in Dunkelbraun zum Kombinieren mitgebracht. Mit dem kurzen Rock wirkt die Jacke sehr elegant.

■ Und ______ Bluse passt dazu?
● Da würde ich Ihnen etwas ganz Einfaches empfehlen: ______ helle Seidenbluse oder ______ T-Shirt in der gleichen Farbe wie die Hose.
Moment … Schauen Sie mal, hier.
■ Hm, da nehme ich die Bluse. … Was kostet das denn?
● Alle Teile zusammen – Moment … 350 Euro …

C 4 **Ergänzen Sie die Regel.**

Was für ein Pullover? **Ein** grauer Pullover.

Welcher Pullover? **Der** orangefarbene Pullover.

! Nach Fragen mit ... kommen meistens Antworten mit ...

1 ______________________________ ? → unbestimmtem Artikel.

2 ______________________________ ? → bestimmtem Artikel.

ARBEITSBUCH 13–17

C 5 **„Was für ein ...“ / „Welch- ...“ kaufen Sie? Schreiben und spielen Sie ähnliche Dialoge. Arbeiten Sie zu zweit oder zu dritt.**

Vorstellungsgespräch ◆ Geschäftsessen ◆ Oper ◆ Theater ◆ Kostümball ◆ Hochzeit ◆ Beerdigung ◆ Picknick ◆ Ausflug ◆ Wanderung ◆ Urlaub ◆ Geburtstagsparty

Ich hätte gern ...
Ich suche ...
Zeigen Sie mir bitte ein paar ...

Was für ein ...
Was für eine Farbe ... ?
Welche Größe haben Sie?

Ich habe Größe ...

Probieren Sie mal ...
Wie gefällt Ihnen ... ?

Die gefällt mir nicht so gut. / ...
Haben Sie | die / so etwas | auch | in Rot? / ... / in Seide? / ...

Die gefällt mir gut. / ... sehr gut. / ...

Aber sie passt mir nicht.
Sie ist mir | zu klein. / ... zu groß. / zu eng. / ... zu weit. / zu kurz. / ... zu lang.

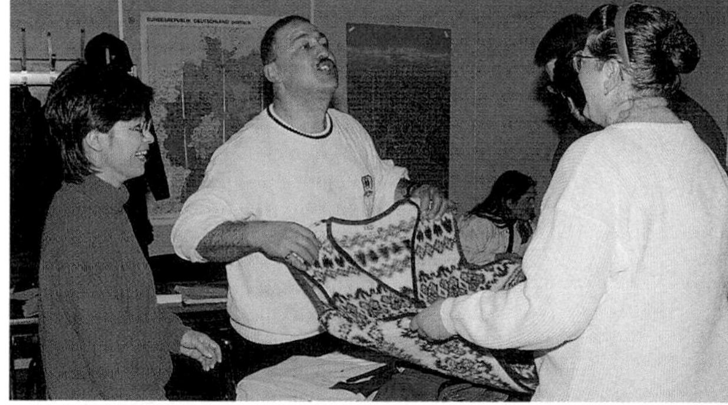

Haben Sie die auch | eine Nummer / etwas | größer? / kleiner?

Nein, leider nicht.
Ja, aber leider nicht in dieser Farbe.

Wie viel kostet ... ?
Ja, ... nehme ich.
Nein, vielen Dank, aber das ist doch nicht das Richtige.

Die Bluse steht Ihnen ausgezeichnet. / ...
Sie wirkt sehr elegant. / ... jugendlich. / ...

ARBEITSBUCH 18–19

D Typen …

D 1 Wie sind diese Leute? Was meinen Sie? Machen Sie Notizen.

Yuppie ◆ Tourist ◆ ~~Rentner~~ ◆ Studenten

Rentner _______ _______ _______

Arbeiten Sie in Gruppen und vergleichen Sie Ihre Ergebnisse.

■ *Hier links, das sind sicher Rentner.*

● *Die sind bestimmt …*

▲ *Die …*

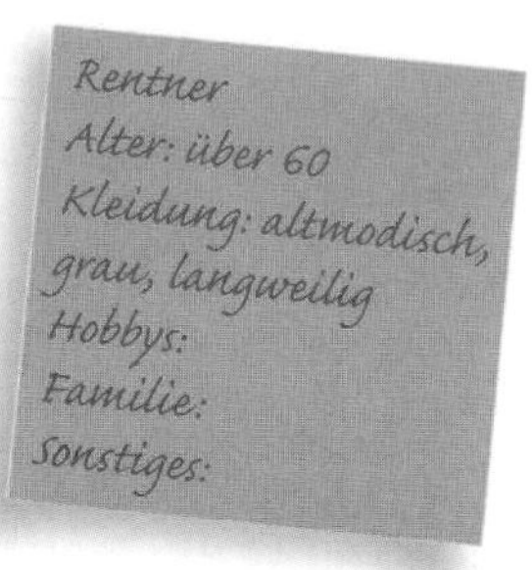

D 2 Hören und ergänzen Sie.

33-34

	Thema	Ort (wo?)	Gesprächspartner
Interview 1			
Interview 2		*U-Bahn-Station*	

D 3 Lesen und markieren Sie: Was denken die Interviewten über …?

Text 1

1 ☐ Yuppies fahren in ihrem roten BMW zur Arbeit.
2 ☐ Yuppies wohnen meistens allein in einem teuren Penthouse.
3 ☐ Yuppies arbeiten beim Hessischen Rundfunk.
4 ☐ Yuppies sieht man in modischen Anzügen oder mit schicken Sakkos.
5 ☐ Yuppies sind meistens Politiker.
6 ☐ Für eine Familie haben Yuppies keine Zeit.
7 ☐ Yuppies essen oft in teuren Lokalen.
8 ☐ Yuppies haben viel Freizeit.

Text 2

1 ☐ Rentner sind ältere Frauen oder Männer.
2 ☐ Rentner wohnen in einer kleinen Wohnung, weil ihre Kinder schon ausgezogen sind.
3 ☐ Rentner haben immer Zeit, auch an den ganz gewöhnlichen Werktagen, aber sie machen nichts mit dieser Freizeit.
4 ☐ Klischees enthalten in den meisten Fällen viel Wahrheit.
5 ☐ Es gibt arme und reiche Leute, dumme und intelligente. Man kann nichts Genaues über sie sagen.

Hören Sie noch einmal und vergleichen Sie.

D 4 **Unterstreichen Sie die Adjektive in C 3 und D 3. Ergänzen Sie dann die Sätze und die Regel.**

Adjektiv-Deklination im Dativ.

				f, m, n, Pl
Da empfehle ich eine Bluse	in d___	gleich___	Farbe wie die Hose.	
Rentner wohnen	in ein ___	klein *en*	Wohnung.	
Der Blazer wirkt	mit d___	kurz___	Rock sehr elegant.	
Yuppies fahren	in ihr ___	rot___	BMW zur Arbeit.	
Vielleicht wirkt der Blazer	mit d___	einfach ___	T-Shirt zu wenig elegant.	
Yuppies wohnen meistens	in ein ___	teur___	Penthouse.	
Rentner haben immer Zeit, auch	an d___	gewöhnlich ___	Werktagen.	
Yuppies essen oft	in	teur___	Lokalen.	

Plural im Dativ.

	Singular	Plural (im Nominativ)
in modischen Anzügen	*Anzug, m*	*Anzüge*
mit schicken Sakkos		
in teuren Lokalen		
auch an den ganz gewöhnlichen Werktagen		
in den meisten Fällen		

!
1 Das Genus-Signal für den Dativ: feminin: ______ , maskulin und neutrum: *m* ______ , Plural: ______ .
2 Im Dativ ist die Endung bei den Adjektiven nach Artikel immer _______ .
3 Im Dativ Plural steht am Ende des Nomens in der Regel ein _______ .
Ausnahme: Nomen mit Plural auf -s.

ARBEITSBUCH 20–22

D 5 **Beschreiben Sie eine für Ihr Land „typische" Person und ihren Beruf.**

Bei uns in ...
Sie sind meistens ...
Sie tragen ...

E Zwischen den Zeilen

E 1 Beschreiben Sie die Farben möglichst genau.

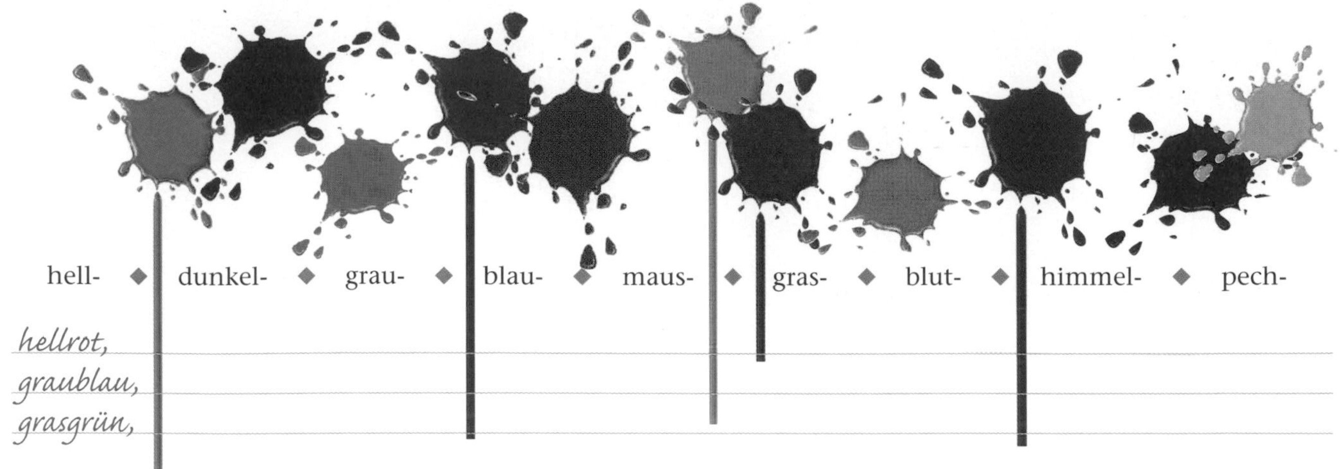

hell- ◆ dunkel- ◆ grau- ◆ blau- ◆ maus- ◆ gras- ◆ blut- ◆ himmel- ◆ pech-

hellrot,
graublau,
grasgrün,

E 2 Welche Farben haben diese Dinge in Deutschland/in Österreich/in der Schweiz? Und in Ihrem Land?

Telefonzelle ◆ Feuerwehrauto ◆ Polizeiuniform ◆ Pass ◆ Briefkasten ◆ Post ◆ Krankenwagen ◆ Polizeiauto ◆ Straßenmarkierungen

- ■ *Die Telefonzellen sind in Österreich …*
- ● *Bei uns sind sie …*

E 3 Welche Farben hören Sie? Markieren Sie.

35

☐ blau	☐ grün	☐ schwarz
☐ braun	☐ lila	☐ violett
☐ gelb	☐ orange	☐ weiß
☐ grau	☐ rot	

Jemand … der, ohne rot zu werden, blaumacht und schwarzarbeitet – muss sich nicht wundern, wenn ihm die Kollegen nicht grün sind.

35

Was passt? Hören Sie noch einmal, ergänzen Sie und sortieren Sie.

1 ________ *fahren*
2 ________ *sehen*
3 *sich* ________ *ärgern*
4 ________ *arbeiten*
5 ________ *sehen*
6 ________ *machen*
7 *mit einem* ________ *Auge davonkommen*
8 *jemandem nicht* ________ *sein*
9 *dasselbe in* ________

☐ es sieht zwar etwas anders aus, ist aber gleich
☐ furchtbar wütend über etwas sein
☐ illegal, ohne Lohnsteuerkarte Geld verdienen
☐ immer Schlechtes in der Zukunft sehen
☐ im Pech Glück haben, nur einen kleinen Schaden erleiden
☐ ohne Fahrschein in öffentlichen Verkehrsmitteln fahren
☐ nicht zur Arbeit oder zum Unterricht gehen
☐ sich nicht gut mit jemandem verstehen
☐ so wütend werden, dass man seine Gefühle nicht mehr kontrollieren kann

Vergleichen Sie mit Ihrer Sprache.

ARBEITS… 23–

F Der Ton macht die Musik

F 1 Sprechen Sie über die Zeichnungen.

bei Rot über die Straße gehen ◆ in der Nase bohren ◆ an der Wand lauschen ◆ älteren Leuten einen Sitzplatz anbieten ◆ die Schuhe ausziehen ◆ mit den Fingern essen ◆ die Tischdecke schmutzig machen ◆ heiraten

■ *Man soll nicht in der Nase bohren.* ↘
● *In einer Moschee muss man …*

F 2 Was soll man nicht machen? Hören und markieren Sie.

36

- ☐ in der Nase bohren
- ☐ laut schreien
- ☐ mit den Fingern essen
- ☐ bei Rot über die Straße gehen
- ☐ in der Schule schlafen
- ☐ über Sex sprechen
- ☐ über Geld sprechen
- ☐ schwarzfahren
- ☐ Schecks fälschen
- ☐ als Mann weinen
- ☐ mit vollem Mund reden
- ☐ die Füße auf den Tisch legen
- ☐ an der Wand lauschen
- ☐ als Mann einen Mann lieben

36 **Können Sie noch andere „Tabus" verstehen? Hören Sie noch einmal.**

F 3 Was darf man in Ihrem Land auf keinen Fall tun? Arbeiten Sie in Gruppen und machen Sie eine Liste mit Tabus.

■ *In einer Kirche soll man nicht lachen.* ↘
● *Bei uns darf man nicht mit Schuhen in den Tempel gehen.* ↘
▲ *Und bei uns …*

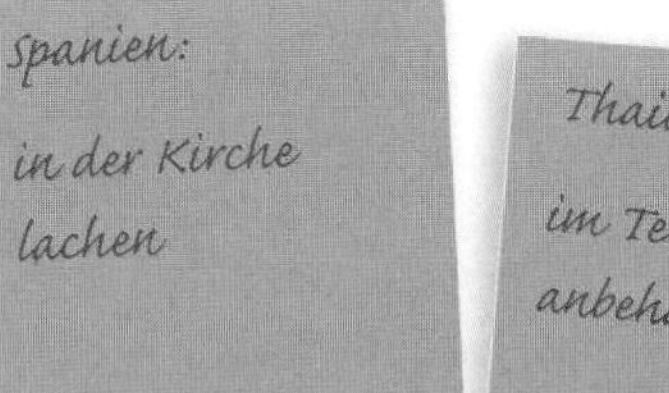

Marokko:

ARBEITSBUCH 26–32

G Kurz & bündig

Adjektive ohne Nomen und Artikel § 20

Welche Farben sind „**kalt**", welche „**warm**"?
Mit Gelb vermischt wirkt diese Farbe **jugendlich** und **frisch**.

Ihre Augen sind **braun**.

Aber ihre Haare sind **schwarz**.
Ich finde, **Rot** steht ihr besser.

Adjektive nach Artikeln oder vor Nomen § 21

Nominativ und Akkusativ
Das **besondere** Merkmal des Frühlingstyps ist **sein zartes, zerbrechliches Aussehen**.
Seine helle, **blasse Haut** bekommt bei Aufregung leicht **rote Flecken**.
Die Haut des Sommertyps hat immer **einen fast blauen Unterton**.

Dativ
Ich empfehle eine Bluse in **der gleichen Farbe**.
Mit **dem kurzen Rock** wirkt die Jacke sehr elegant.
Vielleicht wirkt der Blazer mit **dem einfachen T-Shirt** zu wenig elegant.

Rentner wohnen in **einer kleinen Wohnung**.
Yuppies fahren in **ihrem roten BMW** zur Arbeit und wohnen in **einem teuren Penthouse**.
Sie essen oft **in teuren Lokalen**.

Fragen mit „Was für ..." und mit „Welch- ..."

Was für ein Kostüm hätten Sie denn gern? — **Eins** für einen besonderen Anlass.
Und an **was für eine Farbe** haben Sie gedacht? — Vielleicht **dunkelgrün** oder **dunkelblau**.
Welchen Blazer meinst du denn? **Den** türkisfarbenen oder den rosafarbenen? — Hier, **den rosafarbenen**.
Was für eine Bluse passt dazu? — **Eine helle Seidenbluse** oder ein T-Shirt in der gleichen Farbe.

Verben mit Dativ § 13

Wie findest du meinen neuen Pullover? — Er **steht dir** sehr gut
Mir gefällt er eigentlich auch ganz gut. — Er wirkt sehr jugendlich.
Er **passt mir** nur nicht ganz, er ist etwas zu groß. — Aber ich finde, die Farbe **passt** sehr gut **zu** dir.

Nützliche Ausdrücke

Was ist Ihre Lieblingsfarbe? ↘ — Gelb. ↘
Ich **mag** Blau **besonders**. ↘

Ich suche ein Kostüm. ↘ — Soll es **für einen besonderen Anlass** sein? ↗
Ja, für ein Vorstellungsgespräch. ↘ — **Welche Größe haben Sie?** ↘
38 oder 40. **Das kommt darauf an.** ↘

Schau mal, → der Pullover sieht toll aus. — **Welchen meinst du denn?** ↘
Den hellen oder den dunklen? ↘

Haben Sie das Kostüm **eine Nummer größer?** ↗ — Ja, → aber **nicht in Rot,** → nur **in Dunkelblau.** ↘
Und was soll ich **dazu anziehen?** ↗ — **Ich zeige Ihnen** ein paar Blusen. ↘
Haben Sie diese Bluse **auch in Seide?** ↗ — Nein, → tut mir Leid, → die gibt es **nur in Baumwolle.** ↘

Gut, → **ich nehme** das Kostüm. ↘
Nein, → **das ist doch nicht das Richtige.** ↘

Vier gewinnt

Sie brauchen vier Sorten Geldstücke, pro Spieler eine Sorte.

Spielen Sie zu dritt oder zu viert.

Länderspiel

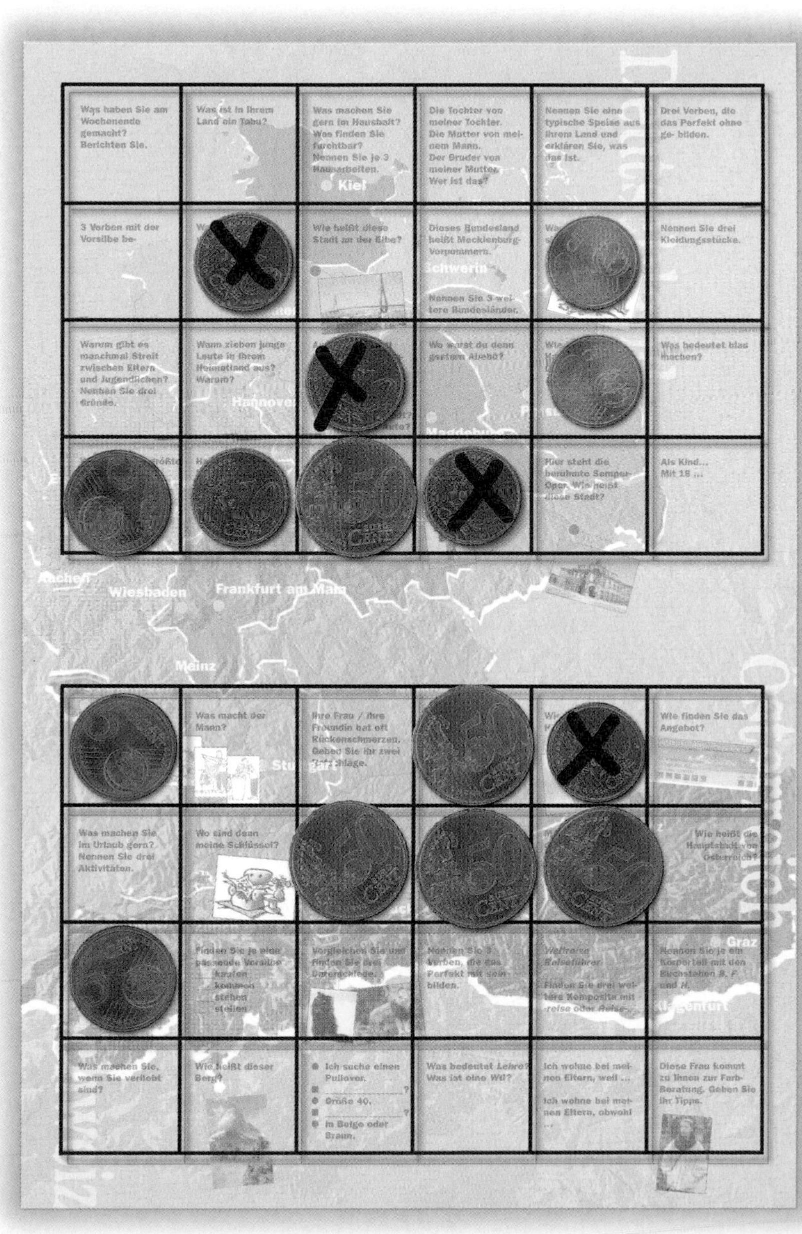

Spielregeln:

Jeder Spieler braucht zehn gleiche Münzen. Spieler eins hat z.B. zehn Zweicentstücke, Spielerin 2 hat zehn Fünfcentstücke usw.

Spieler 1 beginnt. Er sucht eine Frage auf dem Spielfeld, die er beantworten möchte, und liest sie laut vor. Wenn der Spieler die Frage richtig beantworten kann, legt er eine Münze auf das Feld. Wenn die Antwort falsch ist, darf er keine Münze ablegen.

Dann sucht Spielerin 2 eine Frage aus und liest sie laut vor usw.

Wer zuerst vier Münzen in eine Reihe oder in eine Diagonale legen kann, hat gewonnen.

Deutschland

Was haben Sie am Wochenende gemacht? Berichten Sie.	Was ist in Ihrem Land ein Tabu?	Du solltest doch die Tickets kaufen!	Warum bist du denn so nervös?	Nennen Sie eine typische Speise aus Ihrem Land und erklären Sie, was das ist.	Nennen Sie drei Verben, die das Perfekt ohne „ge"-bilden.
Beschreiben Sie Ihre Traumreise! Welchen Urlaub möchten Sie gerne machen?	Was machen Sie, wenn sie krank sind?	Wie heißt diese Stadt an der Elbe? 	Dieses Bundesland heißt Mecklenburg-Vorpommern. Nennen Sie drei weitere Bundesländer.	Nennen Sie drei Krankheiten.	Nennen Sie drei Kleidungsstücke.
Warum gibt es manchmal Streit zwischen Eltern und Jugendlichen? Nennen Sie drei Gründe.	Wann ziehen junge Leute in Ihrem Heimatland aus? Warum?	Aus dieser Stadt kommt ein bekanntes Auto. Wie heißt die Stadt? Wie heißt das Auto?	Wo warst du denn gestern Abend?	Wie heißt die Hauptstadt von Deutschland?	Was bedeutet „blaumachen"?
Wie heißt das größte Industriegebiet in Europa?	Haben Sie ein Handy? Mögen Sie Computerspiele? Warum (nicht)?	Wann weinen Sie?	Beschreiben Sie den Mann. 	Hier steht die berühmte Semper-Oper. Wie heißt diese Stadt? 	Als Kind … Mit 18 …

Kiel
Rostock
Bremen
Schwerin
Hannover
Potsdam
Magdeburg
Essen
Dortmund
Düsseldorf
Köln
Bonn
Erfurt
Leipzig
Aachen
Wiesbaden
Frankfurt am Main

Österreich

Schweiz

Saarbrücken, Mainz, Nürnberg, Stuttgart, Basel, Zürich, Innsbruck, Linz, Graz, Klagenfurt

Was machen Sie im Urlaub gern? Nennen Sie drei Aktivitäten.	**Was ist eine Currywurst?**	**Ihre Frau / Ihre Freundin hat oft Rückenschmerzen. Geben Sie ihr zwei Ratschläge.**	**Wie heißt dieser Fluss?**	**Wie heißen die Himmelsrichtungen auf Deutsch?**  (W, N, O)	**Wie finden Sie das Angebot?**  (aktuelle Urlaubs-Angebote – Mittelmeer-Kreuzfahrt 14 Tage, alles inkl., ab Genua, 1.630,– € – Surfen auf … 2 Wochen, inkl. 1 Wo …)
Wie heißt dieser Fluss?	**Was ist Ihre Lieblingsfarbe? Warum?**	***grasgrün*** **Nennen Sie drei weitere Farben aus zwei Wörtern.**	**Wo findet das Oktoberfest statt?**	**Mozart kommt aus dieser Stadt? Wie heißt sie?**	**Wie heißt die Hauptstadt von Österreich?**
Wie heißt die Hauptstadt der Schweiz?	**Was tragen Sie gerade? Beschreiben Sie Ihre Kleidung ganz genau.**	**Vergleichen Sie und finden Sie drei Unterschiede.**  	**Nennen Sie drei Verben, die das Perfekt mit *sein* bilden.**	***Weltreise*** ***Reiseführer*** **Finden Sie drei weitere Komposita mit *-reise* oder *Reise-*.**	**Nennen Sie je ein Körperteil mit den Buchstaben *B, F* und *H*.**
Was machen Sie, wenn Sie verliebt sind?	**Wie heißt dieser Berg?** 	● **Ich suche einen Pullover.** ■ **______________?** ● **Größe 40.** ■ **______________?** ● **In Beige oder Braun.**	**Was bedeutet *Lehre*? Was ist eine *WG*?**	**Ich wohne bei meinen Eltern, weil …** **Ich wohne bei meinen Eltern, obwohl …**	**Diese Frau kommt zu Ihnen zur Farbberatung. Geben Sie ihr Tipps.** 

Arbeitsbuch
Arbeitsbuch

Lektionen 1–4

Junge Leute von heute

LEKTION **1**

A Wie junge Leute wohnen

1 Lesen Sie die Statistik und ergänzen Sie.

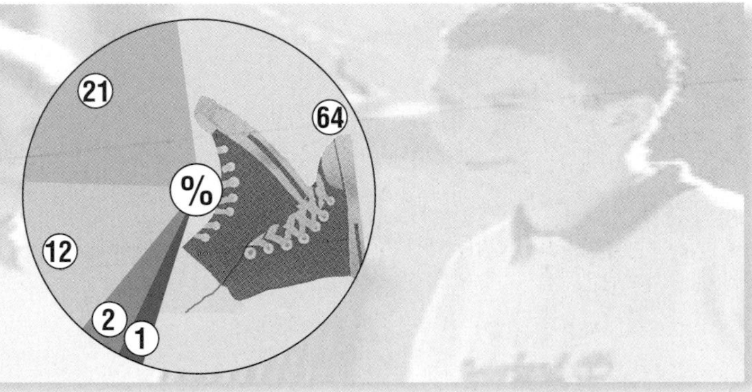

1 Fast zwei Drittel der jungen Leute in Deutschland wohnen *bei den Eltern* .
2 Fast jeder fünfte junge Erwachsene wohnt ______ .
3 Über zehn Prozent aller jungen Erwachsenen wohnen ______ .
4 ______ wohnen zwei Prozent aller jungen Leute.
5 Einer von 100 jungen Erwachsenen wohnt ______ .

Ein Drittel wohnt
Jeder fünfte wohnt
Die Hälfte wohnt
Zwei Drittel wohnen
20% wohnen

Schreiben Sie über die Statistik.

Mehr als die Hälfte der jungen Leute in Deutschland wohnt bei den Eltern.
Bei uns ist das ganz anders …
Das finde ich …

2 Was passt zusammen? Markieren Sie.

1	das Studentenwohnheim		sie oder er macht eine Lehre
2	die Wohngemeinschaft		die Zeit an der Universität
3	die Lehre		„Ja!" – „Nein!" – „Ja!" – „Nein!" – **„Ja!"** – **„Nein!"** – **„Doch!"** …
4	die Unabhängigkeit	*2*	Leute wohnen zusammen, sie sind aber keine Familie.
5	die Miete		morgen, nächstes Jahr, in fünf Jahren …
6	der Streit		allein leben können, niemand fragen müssen, frei sein
7	das Chaos		was man im Monat für eine Wohnung bezahlen muss
8	die Zukunft		die Unordnung, das Durcheinander
9	arbeitslos	*1*	hier wohnen Studenten
10	die Alternative		man lernt einen Beruf (meistens drei Jahre)
11	das Studium		ohne Arbeit
12	der Lehrling		eine andere Möglichkeit

Wortakzent: Welche Wörter passen?

●• *Lehre,* ______

Hören und vergleichen Sie.

KURSBUCH A 3–A 5

3 Lesen Sie Aussagen und die Gründe. Wer sagt was? Ergänzen Sie.

Tina Vollmer

Ich wohne in einem Studentenwohnheim …
Gründe: 1, ______

Maja Sidolny

Ich wohne noch bei meinen Eltern …
Gründe: ______

Bettina Engel

Seit einem Jahr habe ich eine eigene Wohnung …
Gründe: ______

Uwe Bender

Ich wohne mit meiner Freundin zusammen …
Gründe: ______

Raoul Singh

Das Leben in der Wohngemeinschaft macht mir Spaß …
Gründe: 1, ______

Gründe:
← „weil" (= Grund)

1 …, weil ich gerne mit vielen Leuten zusammen bin.
2 …, weil ich nicht gerne allein bin.
3 …, weil ich keine eigene Wohnung bezahlen kann.
4 …, weil ich studiere und noch kein Geld verdiene.
5 …, weil ich da nicht ständig aufräumen muss.
6 …, weil wir uns gut verstehen.
7 …, weil ich hier in Köln studiere.
8 …, weil ich hier viele andere Studenten kennen lernen kann.
9 …, weil ich meine Ruhe haben will.
10 …, weil da immer was los ist.
11 …, weil wir uns dann jeden Tag sehen können.
12 …, weil ich nicht gerne Hausarbeiten mache.
13 …, weil ich gerne unabhängig bin.
14 …, weil ich ganz anders als meine Eltern leben will.
15 …, weil ich da keine Rücksicht auf andere nehmen muss.

4 Was passt zusammen? Markieren Sie.

1 Frau Petersen lebt in Berlin, …
2 Sie arbeitet ganztags, …
3 Einmal die Woche spielt sie Volleyball, …

4 Sie fängt bald einen Computerkurs an, …
5 Ihre Tochter möchte in einem Jahr ausziehen, …
6 Ihr Sohn möchte später Pilot werden, …

☐ obwohl er Angst vor dem Fliegen hat.
☐ obwohl sie wenig Geld verdient.
☐ obwohl sie gerne mehr Zeit für ihre Kinder haben möchte.
☐ obwohl sie Ballspiele nicht mag.
1 obwohl sie Großstädte zu laut findet.
☐ obwohl sie eigentlich keine Zeit dafür hat.

5 **Diese Leute sind unzufrieden mit ihrer Wohnsituation. Was sagen sie? Ergänzen Sie Sätze mit „obwohl".**

↔ „obwohl" (= Gegengrund)

Lerntipp:
Viele positive Adjektive bekommen durch die Vorsilbe un- eine negative Bedeutung:
zufrieden – unzufrieden
bequem – unbequem
freundlich – unfreundlich
Der Wortakzent ist immer auf der Vorsilbe un-.
Bei neuen Adjektiven überprüfen Sie im Wörterbuch: Gibt es auch das negative Adjektiv mit der Vorsilbe un-? Lernen Sie dann immer gleich beide Formen.

Volker Bode: „Ich habe eine eigene Wohnung …"

obwohl ich nicht viel Geld verdiene.

Antje Bittner: „Ich wohne mit meinem Freund zusammen …"

obwohl ich gerne unabhängig bin.

Rita Fries: „Ich wohne noch bei meinen Eltern …"

Und wie wohnen Sie? Sind Sie zufrieden? Warum (nicht)?

6 **„Weil" oder „obwohl"? Schreiben Sie Sätze.**

1 *Kim hat wenig Zeit, → weil sie viel arbeiten muss. ↘*
Kim | wenig Zeit haben | viel arbeiten müssen

2 Dean | ein neues Auto kaufen wollen | wenig Geld haben

3 Vera | schnell Deutsch lernen | in Deutschland leben und arbeiten

4 Thorsten und ich | oft Streit haben | gute Freunde sein

5 Herr Kleinschmidt | Taxifahrer sein | nicht gut Auto fahren können

6 Angela | oft ihre Familie besuchen | in Lissabon | billig fliegen können

7 Ich | viele Fehler machen | erst vier Monate Deutsch lernen

8 Du | auch viele Fehler machen | schon lange Deutsch lernen

9 Thomas | einen gebrauchten Computer kaufen | kein Geld haben

2 **Hören Sie, vergleichen Sie und ergänzen Sie → oder ↘.**

Satzmelodie bei Hauptsatz + Nebensatz:
Hauptsatz → und Nebensatz ↘.

7 Fragen und antworten Sie. Schreiben Sie oder üben Sie zu zweit.

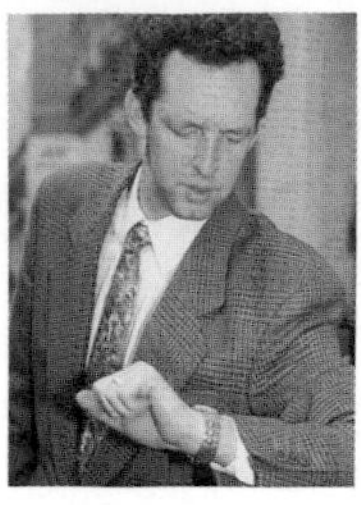

● *Warum weint der Mann?*

▲ *Weil er …*

■ *Warum lacht …*

▼ *Weil …*

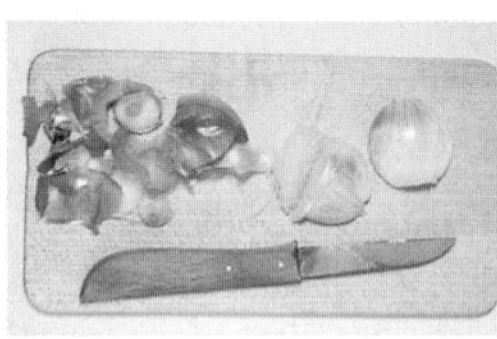

lachen
nervös sein
rennen
sauer sein
weinen
Zeitungsanzeigen lesen
…

In der Umgangssprache sind „weil"-Sätze oft Antworten auf Fragen mit „warum". Sie stehen dann meistens allein (ohne einen Hauptsatz).

Zwiebeln schneiden
das Zimmer aufräumen
ein Geschenk kaufen

KURS A

8 Schreiben Sie Sätze mit „weil" und „obwohl".

Mein(e) Lehrer(in) / Kind(er) / …
Unser Kurs
Ich
Herr / Frau …

dürfen
können
müssen
wollen
sollen
mögen

nicht
kein…
(fast) alles
(fast) nichts
(sehr) viel
(sehr) wenig
(sehr) oft
(sehr) selten
(fast) nie
(fast) immer

fragen / antworten / wissen / kennen / …
brauchen / …
lachen / weinen / …
telefonieren / schreiben / fernsehen / …
arbeiten / einkaufen / …
… essen / … trinken / … lieben / …

Hunger / Geld / Geburtstag / Zeit / … haben
traurig / fröhlich / kaputt / … sein
nach Deutschland / … fahren
aus Italien / … kommen
in Deutschland / … leben / arbeiten / …
Deutsch / … lernen
… verkaufen

Ich esse viel, weil ich immer Hunger habe.
Unsere Lehrerin fragt viel, obwohl sie schon alles weiß.

KURS B 1

B Wir wollten doch nur euer Bestes!

9 Welche Probleme gibt es hier? Markieren Sie.

☐ Unordnung ☐ rauchen ☐ abends weggehen ☐ Hausaufgaben

10 Lesen Sie die Texte und ergänzen Sie die passenden Verben.

durfte ◆ hatte ◆ hatten ◆ konnte ◆ musste ◆ sollte ◆ war ◆ waren ◆ wollte ◆ wurde ◆ wurden

A „Ich *konnte* nur heimlich rauchen – auf der Straße, in der Kneipe, bei Freunden. Und ich ______ dauernd aufpassen, damit meine Mutter nichts merkte. Dabei ______ mein Vater auch Raucher!"

B „Meine Eltern ______ bei mir einen richtigen Ordnungsfimmel. Dabei ______ sie selbst gar nicht so besonders ordentlich. Jeden Tag ______ ich den Müll ausleeren. Jede Kaffeetasse ______ man gleich spülen, nichts ______ rumstehen. Und dauernd ______ ich mein Zimmer aufräumen. Wenn ich mal keine Zeit dafür ______, ______ sie immer gleich wütend. Das ______ ziemlich nervig."

C „Mit 15 ______ ich mit der Schule aufhören und nur noch Musik machen. Ich ______ ganz gut Gitarre spielen und singen. Aber meine Eltern ______ dagegen: Ich ______ Abitur machen und einen „anständigen Beruf" lernen. Also ______ ich weiter zur Schule gehen und ______ dann Techniker in einem Musikstudio. Na ja, das ______ vielleicht auch gut so, das hatte ja auch was mit Musik zu tun."

D „Mein Vater ______ ziemlich streng. Ich ______ immer spätestens um 10 Uhr abends zu Hause sein, und am Samstag um 11 – auch noch mit 16. Und abends alleine weggehen, das ______ ich überhaupt nicht. Immer ______ mein älterer Bruder mitgehen. Der ______ natürlich auch keine Lust, dauernd mit mir loszuziehen. Der ______ lieber mit seinen Freunden ausgehen."

11 **Ergänzen Sie die Endungen.**

Präteritum

Modalverben

Singular	*können*	*wollen*	*dürfen*	*sollen*	*müssen*
ich	konn___	woll___	durf___	soll___	muss*te*
du	konn___	woll___	durf___	soll*test*	muss___
sie/er/es	konn___	woll___	durf___	soll___	muss___
Plural					
wir	konn___	woll___	durf___	soll*ten*	muss___
ihr	konn___	woll___	durf*tet*	soll___	muss___
sie	konn___	woll*ten*	durf___	soll___	muss___
Höflichkeitsform: Singular und Plural					
Sie	konn___	woll___	durf___	soll*ten*	muss___

„haben", „sein" und „werden"

Singular	*haben*	*sein*	*werden*
ich	hat___	war___	wurd___
du	hat*test*	war*st*	wurd*est*
sie/er/es	hat___	war___	wurd___
Plural			
wir	hat*ten*	war___	wurd___
ihr	hat___	war___	wurd*et*
sie	hat___	war___	wurd___
Höflichkeitsform: Singular und Plural			
Sie	hat___	war___	wurd*en*

12 **Welche Wörter passen zum Präteritum? Unterstreichen Sie.**

letztes Jahr ◆ nächste Woche ◆ früher ◆ seit zwei Wochen ◆ jetzt ◆ vor zwei Jahren ◆ morgen ◆ damals ◆ in den 70er-Jahren ◆ gestern

13 **Welches Verb passt nicht? Markieren Sie.**

1 Nächste Woche musste / muss ich ins Krankenhaus.
2 Letztes Jahr konnte / kann ich keinen Urlaub machen.
3 Früher durfte / darf ich nie alleine in die Disko gehen.
4 Seit einer Woche wollte / will ich in den neuen Film von Wim Wenders gehen.
5 Vor einem Jahr konnte / kann ich noch kein Wort Deutsch (sprechen).
6 Morgen musste / muss ich unbedingt zum Zahnarzt gehen.
7 Gestern musste / muss ich so lange arbeiten.
8 In den 70er-Jahren wollten / wollen viele junge Leute in einer Wohngemeinschaft leben.
9 Jetzt wollten / wollen mehr als die Hälfte lieber bei den Eltern wohnen.

KURS B

14 **Schreiben Sie über Ihre Kindheit und Jugend.**

Als Kind	(in die Disko) gehen
Ich	fernsehen
Wir	rauchen
Meine Schwester	(Schauspielerin) werden
Mein Bruder	aufräumen
Er/Sie	im Haushalt helfen
Meine Eltern	in Urlaub fahren
Mit 15	(nie) alleine
…	…

Bei uns war immer was los: …
Als Kind wollte ich …, weil …
Mein Bruder durfte immer …, obwohl …

KURS C 1-

C Wolltest du oder musstest du?

15 Schreiben Sie die Sätze richtig.

1 ______________________________
schon um sechs Uhr | zu Hause sein | du solltest doch

2 ______________________________
du | nicht anrufen | konntest

3 ______________________________
es ist noch | tut mir Leid, aber | nicht fertig

4 ______________________________
bei den Hausaufgaben | ich musste Peter noch | helfen

5 ______________________________
bekommen | keine Tickets mehr | wir konnten | eigentlich schon, aber

6 ______________________________
Woche krank | eigentlich schon, aber | war die ganze | der Meister

7 ______________________________
mein Auto | ich möchte | abholen

8 ______________________________
fertig sein | doch heute | aber es sollte

9 ______________________________
heute nach | wolltet ihr nicht | Berlin fliegen

16 Welche Sätze aus Übung 15 passen zusammen? Schreiben Sie drei Dialoge.

1 ● ______________________________
■ ______________________________
● ______________________________

2 ● ______________________________
■ ______________________________
● ______________________________
■ ______________________________

3 ● ______________________________
■ ______________________________

3-5 **Hören und vergleichen Sie. Markieren Sie den Satzakzent (__) und die Satzmelodie (↗→↘).**

KURSBUCH C 5

17 **Fragen und antworten Sie. Schreiben Sie Dialoge.**

A

1 Warum warst du nicht auf Veras Geburtstagsfeier?

Weil ich früh ins Bett gehen wollte.

(früh ins Bett gehen wollen)

2 Warum wolltest du früh ins Bett gehen?

______

(müde sein)

3 Warum warst du müde?

______

(die Nacht davor nicht schlafen können)

4 Warum ______

______

(meine Nachbarn/laut sein)

5 Warum ______

______

(sie/Gäste haben)

6 Warum ______

______

(meine Nachbarin/Geburtstag haben)

B

1 Warum warst du gestern nicht im Schwimmbad?

Weil ich keine Zeit hatte.

(keine Zeit haben)

2 Warum hattest du keine Zeit?

______

(lange arbeiten müssen)

3 Warum ______

______

(viele Briefe schreiben müssen)

4 Warum ______

______

(meine Kollegin/eine Erkältung haben)

5 Warum ______

______

(sie/am Wochenende im Schwimmbad sein)

Jetzt hören und vergleichen Sie.

18 Hören und sprechen Sie.

8

Kinder fragen gerne „Warum...?", und die Antworten sind oft schwierig.

● *Ich gehe nur mal kurz Zigaretten holen.*
■ *Muss das sein? Du wolltest doch nicht so viel rauchen.*
● *Ja, ja …*
▲ *Mama, warum geht Papa jetzt weg?*
■ *Weil er Zigaretten kaufen will.*

Sie sind die Mutter. Antworten Sie bitte.

1 Er will Zigaretten kaufen.
2 Er raucht so viel.
3 Er ist nervös.
4 Er hat viel Stress.
5 Er muss so viel arbeiten.
6 Er muss viel Geld verdienen.
7 Er braucht viel Geld.
8 Die Zigaretten sind teuer.
9 Er kann nicht aufhören.
10 … Frag doch Papa!

D Zwischen den Zeilen

19 Was passt zusammen? Hören und markieren Sie.

1 Wolltet ihr nicht nach München fahren? ___
2 Sie wollten doch einen Englischkurs machen. ___
3 Musst du nicht für die Mathearbeit lernen? ___
4 Musst du nicht am Wochenende arbeiten? ___
5 Du wolltest doch ausziehen. ____
6 Das Auto sollte doch schon gestern fertig sein. ___

a) Eigentlich schon, aber wir mussten noch ein paar Ersatzteile besorgen.
b) Doch, aber ich muss unbedingt erst die neue CD von den Backstreet Boys hören.
c) Doch, aber nur bis sechs. Am Abend habe ich Zeit.
d) Ja, aber eine eigene Wohnung ist einfach zu teuer.
e) Eigentlich schon, aber Eva musste arbeiten, und ich wollte nicht allein fahren.
f) Eigentlich schon, aber ich konnte keinen passenden Kurs finden.

Hören und vergleichen Sie.

Zwischen „Ja" und „Nein"

So zeigt man Überraschung:
Negative Fragen mit Modalverben

	Zustimmung	+ Erklärung
Musst du nicht für die Mathearbeit lernen?	Doch,	aber …
Wolltet ihr nicht nach München fahren?	Eigentlich schon,	aber …

Aussagen mit „doch"

Du wolltest doch ausziehen.	Ja,	aber …
Das Auto sollte doch schon gestern fertig sein.	Eigentlich schon,	aber …

20 Spielen oder schreiben Sie Dialoge.

den neuen Film von … anschauen ◆ mit dem Bus fahren ◆ zur Party kommen ◆ nach Hause fahren ◆ ins Konzert gehen ◆ Deutsch lernen ◆ … besuchen ◆ aufräumen ◆ anrufen ◆ arbeiten ◆ einkaufen gehen ◆ pünktlich sein ◆ früh ins Bett gehen ◆ fernsehen ◆ …

■ *Wolltest du nicht den neuen Film mit Til Schweiger anschauen?*
▲ *Eigentlich schon, aber ich hatte bis jetzt noch keine Zeit.*
● *Musst du nicht … / Müssen Sie nicht …*
▼ *Du wolltest doch … / Sie wollten doch …*
◆ *Du solltest doch … / Sie sollten doch …*

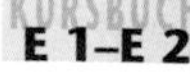

E Der Ton macht die Musik

21 Hören und vergleichen Sie.

15

„N" spricht man im Deutschen [n] oder [ŋ].

[n]	[ŋ]
üben	Übung
wohnen	Wohnung
dann	Dank
ins	links

22 Hören Sie, sprechen Sie nach und markieren Sie [ŋ].

16

Anfang	Bank	bin	denn	denken	England
Enkel	entlang	finden	Franken	Frühling	Gang
ganz	Geschenk	Hunger	Inge	jung	Juni
klingeln	Kind	krank	langsam	links	ohne
Onkel	Pfund	Punkt	schenken	schwanger	sind
singen	trinken	und	wann	Werbung	Zeitung

Ergänzen Sie.

schreiben	sprechen
______	[ŋk]
______	[ŋ]

Aber: kein [ŋ] an der Silbengrenze
Wein|glas An|gebot Wohn|gemeinschaft
Fein|kostladen Termin|kalender

23 Üben Sie.

17

„n" = [n]
Sagen Sie „annnnnnnn".

„ng" = [ŋ]
Sagen Sie weiter „nnnnnnnn" und drücken Sie mit dem Zeigefinger fest gegen den Unterkiefer:
[n] wird zu [ŋ].
Üben Sie das [ŋ] mit und dann ohne Zeigefinger.

Sagen Sie: Gang, entlang, links

Sagen Sie: den Gang entlang, dann links

24 Hören Sie und sprechen Sie nach.

18-20

Ein Krankenbesuch
Wir klingeln bei Frank,
wollen trinken und singen,
wollen tanzen und lachen –
doch Frank ist krank.
Wir sitzen an seinem Bett und denken:
Was kann man dem kranken Frank denn nur schenken?

Globalisierung
In Frankfurt nehmen die Banken alles:
Euro und Franken.

Schöne Geschenke
Frühling in England.
Inge ist schwanger.
Schöne Geschenke:
Kinder und Enkel.

Testen Sie sich!

Was ist richtig: a, b oder c? Markieren Sie bitte.

Beispiel:
Wie heißen Sie?
Mein Name ________ Schneider.
- [ ] a) hat
- [X] b) ist
- [ ] c) heißt

1 ● Wie viele seid ihr denn in eurer ________________?
■ Wir sind fünf – drei Männer und zwei Frauen.
- a) Verein
- b) Wohnheim
- c) Wohngemeinschaft

2 ● Warum wohnst du nicht mehr bei deinen Eltern?
■ Ich musste ausziehen, ________ ich jetzt in München studiere.
- a) weil
- b) obwohl
- c) aber

3 ● Wohnst du denn noch bei deinen Eltern?
■ Ja, ________ ich gern unabhängig bin.
- a) weil
- b) obwohl
- c) warum

4 ● Hast du oft ________ mit deinen Eltern?
■ Ja, manchmal schon.
- a) Unabhängigkeit
- b) Streit
- c) Hausarbeit

5 ● Weißt du schon, was du nach dem Abitur machst?
■ Ich will erst mal eine ________ machen.
- a) Lehre
- b) Lehrling
- c) Studium

6 ● Warum wolltest du wieder nach Deutschland zurück?
■ Weil ich keine Arbeit mehr ________.
- a) hatte
- b) durfte
- c) war

7 ● ________ du schon einmal in Australien?
■ Nein, leider noch nicht.
- a) Hattest
- b) Warst
- c) Kommst

8 ● ________ du als Kind im Haushalt helfen?
■ Ja, leider.
- a) Durftest
- b) Wolltest
- c) Musstest

9 ● ________ du mit 17 mit Freunden in Urlaub fahren?
■ Ja, meine Eltern waren nicht streng.
- a) Durftest
- b) Wolltest
- c) Musstest

10 ● Wie war deine Zeit ________ Studentin?
■ Super! Ich konnte machen, was ich wollte.
- a) mit
- b) als
- c) für

11 ● Wolltet ihr heute nicht nach München fliegen?
■ ________, ________ wir haben keine Tickets mehr bekommen
- a) Eigentlich schon, aber
- b) Tut mir Leid, aber
- c) Schade, aber

12 ● Wolltest du nicht einkaufen gehen?
■ ________, aber ich wollte erst noch Nachrichten hören.
- a) Danke
- b) Doch
- c) Nein

13 ● Tut mir Leid, Ihr Auto ist noch nicht fertig.
■ Aber es ________ doch heute fertig sein!
- a) konnte
- b) wollte
- c) sollte

14 ● Ich gehe mal kurz Zigaretten holen.
■ Muss das sein? Du ________ doch nicht mehr so viel rauchen
- a) wolltest
- b) musstest
- c) konntest

15 ● Mama, warum geht Papa weg?
■ Weil er Zigaretten ________.
- a) will kaufen
- b) kaufen wollen
- c) kaufen will

Selbstkontrolle

1 Wohnsituation

Wie wohnen Sie? Warum?

______________________________,

weil ______________________________

und obwohl ______________________________

Wie wohnen junge Leute in Ihrem Heimatland? Warum?

____

2 Kindheit und Jugend

Als Kind wollte ich ______________________________

Mit 14 ______________________________

Als ______________________________

Mit ______________________________

3 Eigentlich schon, aber … / Doch, aber … / Ja, aber …: Was antworten Sie?

Du wolltest doch ausziehen!

______________________________.

Du wolltest doch um acht Uhr hier sein!

______________________________.

Musst du heute nicht zur Arbeit?

______________________________.

4 Überraschung und Ärger

Sie glauben, Ihr Kollege ist im Urlaub. Sie treffen ihn in der Kneipe. Was fragen Sie?

______________________________?

Sie kommen zur Werkstatt. Das Auto ist nicht fertig. Was sagen Sie?

______________________________.

Ergebnis:

Ich kann …	✔✔	✔	–
1 über das Thema „wohnen“ sprechen – über meine Wohnsituation sprechen und Gründe / Gegengründe angeben – über die Wohnsituation von Jugendlichen in meinem Heimatland berichten			
2 über meine Kindheit und Jugend berichten			
3 etwas erklären			
4 Überraschung und Wut ausdrücken			
Außerdem:			
Prozentzahlen benutzen			
Kurzantworten auf „Warum“-Fragen geben			

Lernwortschatz

Kursiv gedruckte Wörter sind Wortschatz der Niveaustufe B1. Diese Wörter müssen Sie nicht für die Prüfung **Start Deutsch 2 / Start Deutsch 2z** lernen.

Nomen

23-Jährige die/der, -(n) (ein 23-Jähriger)

Angst + vor DAT

Bekannte die/der, -(n) (ein Bekannter)

Form die, -en

Freundschaft die, -en

Geburt die, -en

Grund der, ¨-e

Inhalt der, -e

Jugend die (nur Singular)

Jugendliche die/der, -(n) (ein Jugendlicher)

junge Leute

Klingel die, -n

Konferenz die, -en

Kreis der, -e

Lehre die, -n

Lehrling der, -e

Meister der, -

Miete die, -n

Studentenwohnheim das, -e

Studentin die, -nen

Trend der, -s

Wagen der, -

Weg der, -e

Werkstatt die, ¨-en

Werkzeug das, -e

Zweizimmerwohnung die, -en

Verben

ausgezogen (➛ *Partizip II von* ausziehen)

beendet (➛ *Partizip II von* beenden + AKK)

bezahlen + AKK

durfte (➛ *Präteritum von* dürfen)

folgen

führen + DIR

gab (➛ *Präteritum von* geben)

hattet (➛ *Präteritum von* haben)

heiraten

hoffen auf + AKK

konnte (➛ *Präteritum von* können)

liefern + AKK

mieten + AKK

mussten (➛ *Präteritum von* müssen)

rauchen

reparieren + AKK

sich gut verstehen

sich gewöhnen + an AKK

stören + AKK

treffen + AKK, du triffst, sie/er trifft

verreisen

wollte (➛ *Präteritum von* wollen)

wurde (➛ *Präteritum von* werden)

Adjektive

automatisch
beliebt
schwạnger

andere Wörter / Ausdrücke

bloß
da
damals
dauernd
dirẹkt
eben
erst heute
ẹtwa
fast nịchts
genug
ịmmer mal
kaum
los
nachher
obwohl
schon gẹstern
vorher
wẹg
wegen
ziemlich
zwar

Urlaub und Reisen

LEKTION 2

A Was für ein Urlaubs-Typ sind Sie?

1 Was passt zusammen? Markieren Sie.

1 Herr Schmitzer möchte mit seinen Kindern, seiner Frau und seinen Schwiegereltern in Urlaub fahren. g
2 Frau und Herr Sauer wollen mit dem Schiff durch die Karibik.
3 Miriam hat ein Jahr Zeit und möchte viele fremde Länder und Kulturen kennen lernen.
4 Paul liebt die Natur und möchte nicht im Hotel wohnen.
5 Frau Groß macht gerne Stadtrundfahrten und besichtigt gerne Museen.
6 Herr Fröhlich will ans Meer und neue Leute kennen lernen.
7 Frau Klein hat viel Stress in der Arbeit. Sie hat nur zwei Tage Zeit.
8 Gisela und Franz möchten mit dem Auto durch ganz Italien fahren.

a) Städtereise
b) Campingurlaub
c) Strandurlaub
d) Kreuzfahrt
e) Entspannungs-Wochenende
f) Rundreise
g) Familienurlaub
h) Weltreise

2 Was für ein Urlaubstyp sind Sie? Ergänzen Sie die Verben in der richtigen Form.

treiben ◆ liegen ◆ besichtigen ◆ fahren ◆ haben ◆ ~~kennen lernen~~ ◆ machen ◆ ausgeben

1 Land und Leute *kennen lernen*, das ist für mich wichtig!
2 Wir fahren am liebsten nach Griechenland. Da kann man so schöne Ausflüge in die Berge und die kleinen Dörfer ______.
3 Ich ______ am liebsten am Strand in der Sonne.
4 Wir machen immer Campingurlaub. Wir wollen nicht so viel Geld ______.
5 Im Urlaub möchte ich endlich einmal Zeit für meine Familie und meine Hobbys ______.
6 Surfen, schwimmen, tauchen, das ist für mich Urlaub! Da kann ich endlich viel Sport ______.
7 Ich mag Städtereisen. Da ______ wir immer viele Sehenswürdigkeiten.
8 Wir ______ jedes Jahr an die Nordsee. Ich liebe die Spaziergänge am Meer und den Wind.

KURSBUCH A 2–A 3

3 Hören Sie die Musik und gehen Sie auf Traumreise.

21

1 Wohin fahren Sie?
2 Wie reisen Sie dorthin?
3 Wie sieht es dort aus?
4 Wo wohnen Sie?
5 Was machen Sie dort ?
6 Wen lernen Sie kennen?

Jetzt beschreiben Sie Ihre Traumreise.

Reiseberichte

4 **Was passt zusammen? Markieren Sie.**

3	Stadtrundfahrt	1	vom Flughafen ins Hotel fahren
	Besichtigung	2	in ein anderes Flugzeug umsteigen
	Stadtbummel	3	mit dem Bus durch die Stadt fahren
	Tagesfahrt	4	Sehenswürdigkeiten anschauen
	nicht im Reisepreis enthalten	5	die Stadt ansehen und einkaufen
	Flugzeugwechsel	6	man muss dafür extra bezahlen
	Transfer zum Hotel	7	den ganzen Tag unterwegs sein

5 **Wie heißt das Verb? Ergänzen Sie.**

1 die Besichtigung: *besichtigen*
2 der Flug: ____________
3 die Ankunft: ____________
4 die Fahrt: ____________
5 der Besuch: ____________
6 die Reise: ____________

KURS B 1–

6 **Schreiben Sie die Sätze richtig.**

	Verb 1			Verb 2
Wir	**sind**		mit dem Auto nach Italien	**gefahren.**
Dort	**haben**	wir	Camping am Mittelmeer	**gemacht.**

1 ____________
meistens | am Strand in der Sonne | haben | gelegen | wir

2 ____________
manchmal | haben | Tischtennis und Volleyball | wir | gespielt

3 ____________
wollten | auch viele Ausflüge | wir | machen

4 ____________
aber | kaputtgegangen | ist | unser Auto

5 ____________
wir | einmal | gemacht | einen Tagesausflug mit dem Bus nach Florenz | haben

6 ____________
dort | eine Stadtrundfahrt | gemacht | haben | wir

7 ____________
besichtigt | viele Sehenswürdigkeiten | wir | haben

8 ____________
dann | gemacht | wir | einen Stadtbummel | haben

9 ____________
haben | Souvenirs | gekauft | wir

10 ____________
in Florenz | wir | gut gegessen | haben | getrunken | und viel Wein

KURS B 5–

7 Was passt zusammen? Ergänzen Sie.

Das Partizip Perfekt von „unregelmäßigen Verben" endet auf „**-en**", z. B. „fahren" – „gefahr**en**". Oft ändert sich auch der Verbstamm, z. B. „fl**ie**gen" – „gefl**o**gen".

~~geblieben~~ ◆ geschlafen ◆ gelesen ◆ gefunden ◆ gefahren ◆ gezogen ◆ genommen ◆ gegessen ◆ getroffen ◆ gesehen ◆ gesessen ◆ getrunken ◆ abgeflogen ◆ angekommen ◆ eingeladen ◆ eingeschlafen ◆ losgegangen ◆ mitgefahren ◆ umgezogen ◆ begonnen ◆ bekommen ◆ erschienen ◆ vergessen ◆ verloren

abfliegen	______	essen	______	sehen	______
ankommen	______	fahren	______	sitzen	______
beginnen	______	finden	______	treffen	______
bekommen	______	lesen	______	trinken	______
bleiben	*geblieben*	losgehen	______	umziehen	______
einladen	______	mitfahren	______	vergessen	______
einschlafen	______	nehmen	______	verlieren	______
erscheinen	______	schlafen	______	ziehen	______

22 **Markieren Sie den Wortakzent. Dann hören Sie, sprechen Sie nach und vergleichen Sie.**

8 Ergänzen Sie die Verben im Perfekt.

gehen (2×) ◆ einschlafen ◆ essen ◆ warten ◆ ankommen ◆ trinken ◆ einkaufen ◆ ~~fliegen~~ ◆ abholen ◆ sitzen ◆ liegen ◆ fahren ◆ einladen

Dörte und ihre Freundin Jutta sind letztes Jahr nach Mallorca *geflogen* (1). Ihr spanischer Freund Pedro hat sie dort vom Flughafen ______ (2). Aber das Flugzeug hatte Verspätung und ist zwei Stunden später ______ (3). Der arme Pedro hat lange im Café ______ (4) und ______ (5). Dann hat er die beiden Frauen zu ihrem Appartement ______ (6). Dörte und Jutta waren müde und sind schon sehr früh ins Bett ______ (7). Jutta war fix und fertig und ist schon nach zwei Minuten mit ihrem Buch in der Hand ______ (8). Am nächsten Tag hat Pedros Familie sie zum Essen ______ (9). Sie haben Paella ______ (10) und viel Wein ______ (11). Nachmittags haben Dörte und Jutta meistens am Strand ______ (12) oder für das Abendessen ______ (13). Abends sind sie meistens in die Disko ______ (14).

9 Schreiben Sie jetzt drei bis fünf Sätze über Ihren letzten Urlaub, über einen Ausflug oder über einen Besuch.

nach … gefahren ◆ eine Städtereise/Weltreise/Radtour/… gemacht ◆ in … Urlaub gemacht ◆ … gespielt ◆ einen …kurs/Tagesausflug nach … gemacht ◆ … besichtigt ◆ … besucht ◆ … gegangen ◆ … eingekauft ◆ … gegessen ◆ … getrunken ◆ … zurückgefahren

10 Was passt? Ergänzen Sie.

Die meisten Verben bilden das Perfekt mit „haben“. Einige Verben bilden das Perfekt mit „sein“, z. B.

~~fahren~~ ◆ ~~aufwachen~~ ◆ erscheinen ◆ fallen ◆ fliegen ◆ aufstehen ◆ gehen ◆ losgehen ◆ einschlafen ◆ kommen ◆ umsteigen ◆ umziehen

Veränderung / Wechsel

1 Ort → Ort (z. B. Frankfurt → Bangkok) *fahren,* ______________________

2 Zustand → Zustand (z. B. schlafen → wach sein) *aufwachen,* ______________________

Das Perfekt mit „sein“ steht auch b
sein – ich bin gewesen,
bleiben – ich bin geblieben.

11 Welche Verben bilden das Perfekt mit „haben“ und welche mit „sein“? Markieren Sie.

	mit *haben*	mit *sein*		mit *haben*	mit *sein*
1 bleiben	☐	☒	7 verpassen	☐	☐
2 einkaufen	☐	☐	8 erscheinen	☐	☐
3 aufwachen	☐	☐	9 aufstehen	☐	☐
4 einschlafen	☐	☐	10 abholen	☐	☐
5 schlafen	☐	☐	11 fahren	☐	☐
6 umziehen	☐	☐	12 losfahren	☐	☐

12 Hören und antworten Sie.

23

Sie fahren in Urlaub. Ihre Freundin gibt Ihnen Ratschläge, aber Sie haben alles schon gemacht.

Beispiele:

● *Drei Wochen Urlaub – du hast es gut! Da hast du ja jetzt viel zu tun: Du musst alles vorbereiten.*

■ *Ich **hab‘ schon** alles vorbereitet.*

● *Du hast schon alles vorbereitet? Wirklich? Hast du denn schon deinen Chef gefragt? Du musst rechtzeitig Urlaub nehmen.*

■ *Ich **hab‘ schon** Urlaub genommen.*

● *Du hast schon Urlaub genommen. Gut. Und was ist mit deinem neuen Pass? Musst du den nicht noch abholen?*

■ *Den **hab‘** ich **schon** abgeholt.*

● *Den hast du schon abgeholt. Aha. Und du brauchst Medikamente für die Reiseapotheke, die musst du noch kaufen.*

■ …

alles vorbereiten	das (Auto) reparieren	die (Karte) anschauen
Urlaub nehmen	einen Spanischkurs machen	die (Nachbarn) fragen
den (Pass) abholen	einen (Reiseführer) besorgen	Mutter besuchen
(Medikamente) kaufen	den (Reiseführer) lesen	die (Koffer) packen

13 **Ergänzen Sie die richtigen Verbformen.**

Kein Geld zurück bei Pannen-Urlaub

Urlaub ist die schönste Zeit des Jahres.

Aber nicht immer. Mancher Urlaub wird schnell zum Pannen-Urlaub. Oft fängt der Ärger schon am Flughafen an.

Uta S. aus Gießen wollte für drei Wochen nach Australien fliegen. Sie war schon im Flugzeug, da mussten alle wieder aussteigen:
warten — Maschinenschaden! „Wir ______ 13 Stunden am Flughafen
abfliegen — ______ , erst dann ______ wir ______ .
verpassen — In Bangkok ______ wir den Anschlussflug ______
ankommen — und ______ einen Tag zu spät in Sydney ______ .
Ich war fix und fertig."

Manchmal ist das Hotel eine Baustelle. Ehepaar W. aus Trier: „Die Handwerker ______ von morgens bis abends
arbeiten — ______ . Der Lärm war unerträglich. Wir ______ dann
zurückfliegen — nach einer Woche wieder ______ und
machen — ______ zu Hause Urlaub ______ ."

Oder man hat ungebetene Gäste: „Überall im Bungalow waren Ameisen", sagt Gerda P. aus Neustadt. „Und nachts ______ die
fallen — Kakerlaken von der Decke auf mein Bett ______ . Es war
schlafen — furchtbar. Ich ______ zwei Nächte nicht ______ ,
ausziehen — dann ______ ich ______ ."

Oft stimmen die Angaben im Katalog nicht. Thorsten F. aus Bad Homburg: „Das ‚Fünf-Sterne-Hotel' war eine Bruchbude, da wollte ich nicht bleiben. Zum Glück ______ ich schnell ein neues Hotel
finden — ______ und ______ gleich am nächsten Tag
umziehen — ______ ."

Auch Rudolf B. aus Darmstadt hatte Pech: Das „Hotel mit Schwimmbad" hatte gar kein Schwimmbad, zum Strand waren es zehn Kilometer, und der war rappelvoll. „Ich ______ zweimal oder
fahren — dreimal zum Strand ______ . Die meiste Zeit ______
sitzen — ich im Hotel ______ oder ______ ins einzige Café am
gehen — Ort ______ – ein toller Badeurlaub!"

Zum Ärger im Urlaub kommt dann noch der Ärger mit dem Reiseveranstalter: Meistens bekommt man kein oder nur wenig Geld zurück.

Deshalb: Achten Sie auf das ‚Kleingedruckte' und bitten Sie Ihr Reisebüro, alle wichtigen Angaben zum Urlaub schriftlich zu bestätigen – damit's kein Pannen-Urlaub wird!

KURSBUCH B 7–B 8

C Zwischen den Zeilen

14 Was passt zusammen? Markieren Sie und ergänzen Sie die Artikel.

Erinnern Sie sich noch? Bei zusammengesetzten Wörtern (Komposita: Nomen + Nomen) bestimmt das zweite Wort den Artikel.

3	*die*	Busreise
	______	Reiseziel
	______	Reisebüro
	______	Reisebericht
	______	Reisebeschreibung
	______	Reiseprospekt
	______	Geschäftsreise
	______	Reiseveranstalter
	______	Gruppenreise
	______	Reisegruppe
	______	Reisebus

1 organisiert Reisen
2 hier bucht man Reisen
3 Reise mit dem Bus
4 so war die Reise
5 Reise in einer Gruppe
6 Bus für Reisen
7 hier findet man Angebote
8 kein Urlaub, sondern Arbeit
9 so steht die Reise im Prospekt
10 dort fährt man hin
11 sie reisen zusammen

!

Komposita	=	**1. Wort (Spezialwort)** (besondere Bedeutung)	+	**2. Wort (Grundwort)** (allgemeine Bedeutung; Artikel!)
die Busreise	=	**Bus**	+	**Reise**
heißt:		*Reise*	*mit dem*	*Bus*
der Reisebus	=	**Reise**	+	**Bus**
heißt:		*Bus*	*für*	*Reisen*

Komposita: Manchmal ergänzt man noch Buchstaben zwischen den Nomen, z.B.: Gruppe**n**reise, Geschäft**s**reise.

15 Bilden Sie die passenden Wörter mit „-reise" oder „Reise-".

1 das Gepäck für eine Reise — *das Reisegepäck*
2 eine Reise durch Europa ______
3 der Preis einer Reise ______
4 der Leiter/die Leiterin einer Reise ______
5 eine Reise um die Welt ______
6 die Versicherung für das Reisegepäck ______
7 die Pläne für eine Reise ______

16 Was bedeuten die Wörter? Markieren Sie.

1 Reisefieber
- a) nervös vor einer Reise
- b) krank auf einer Reise

2 Reiseführer
- a) Reiseleiter
- b) Buch über ein Land/eine Stadt

3 Reiseapotheke
- a) Medikamente für die Reise
- b) Apotheke in Touristenzentren

4 Hochzeitsreise
- a) Reise zu einer Hochzeitsfeier
- b) Reise direkt nach der Hochzeit

D Informationen über Deutschland, Österreich und die Schweiz

17 Ergänzen Sie.

Wirtschaftszweig ◆ ~~Hauptstadt~~ ◆ Bundesländer ◆ Einwohner ◆ Industriegebiet ◆ Spezialität ◆ Wahrzeichen ◆ See

1 Die *Hauptstadt* ______ von Deutschland heißt Berlin.
2 Deutschland hat rund 80 Millionen ______.
3 Das Brandenburger Tor ist das ______ von Berlin.
4 Deutschland hat 16 ______. Das größte ist Bayern.
5 Eine ______ in Bayern ist der Nürnberger Lebkuchen.
6 Der größte ______ im Süden Deutschlands ist der Bodensee.
7 Das Ruhrgebiet ist das größte ______ in Deutschland.
8 Ein wichtiger ______ in Thüringen ist die Herstellung von optischen Geräten.

KURSBUCH D 5

18 Quiz. Ergänzen Sie die Endungen. Orden Sie dann die Antworten zu.

✗ Deutschlandquiz

1	Welch*er* ___ Fluss fließt durch Köln?	*d*	a) Leipzig und Dresden.
2	Welch___ deutsche Volksfest ist sehr bekannt?		b) In Köln.
3	Welch___ Städte liegen in Sachsen?		c) Die Zugspitze (2964 Meter).
4	Welch___ Stadt hat den größten Hafen?		d) Der Rhein.
5	Welch___ Spezialität ist ganz typisch für Thüringen?		e) In Rheinland-Pfalz.
6	In welch___ Stadt gibt es einen großen Karnevalsumzug?		f) Hamburg.
7	In welch___ Bundesland gibt es viel Wein?		g) Das Oktoberfest.
8	Welch___ Berg ist der höchste in Deutschland?		h) Die Bratwurst.

KURSBUCH D 6

19 Lesen Sie die Texte und ergänzen Sie die Namen auf der Karte.

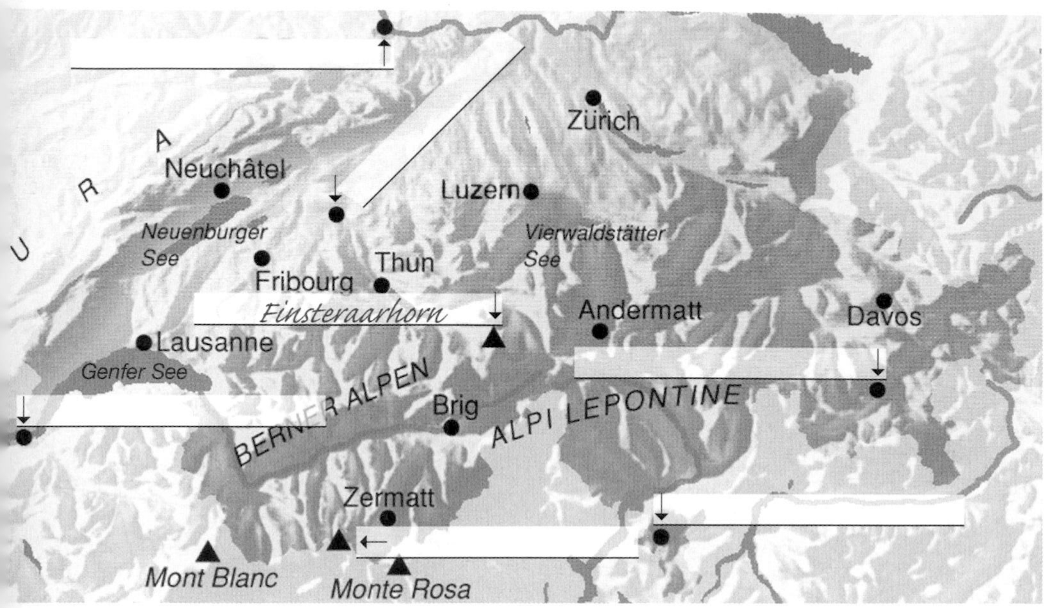

Die Schweiz ist ein Bundesstaat im Alpengebiet. Nachbarländer sind die Bundesrepublik Deutschland, Frankreich, Italien, Österreich und Liechtenstein. In der Schweiz spricht man vier Sprachen: Deutsch, Französisch, Italienisch und Rätoromanisch. Die Schweiz besteht aus 25 Kantonen und ist ein Industrieland (Maschinenbau, Uhren, Lebensmittel, Chemie) und internationales Finanzzentrum. Ein wichtiger Wirtschaftszweig ist der Tourismus. Die Hauptstadt Bern liegt zentral zwischen Lausanne und Zürich, weitere Großstädte sind Basel (im Nordwesten, an der Grenze zu Deutschland und Frankreich) und Genf (im Südwesten, an der Grenze zu Frankreich). Die höchsten Berge sind der Monte Rosa (4634 m) und das Matterhorn (4478 m, bei Zermatt). Touristische Attraktionen sind auch die Seen: der Genfer See, der Zürichsee, der Vierwaldstätter See (bei Luzern) und der Thuner See (bei Thun). International bekannte Urlaubsorte sind z.B. Davos und St. Moritz im Osten der Schweiz und Lugano im Süden (an der italienischen Grenze).

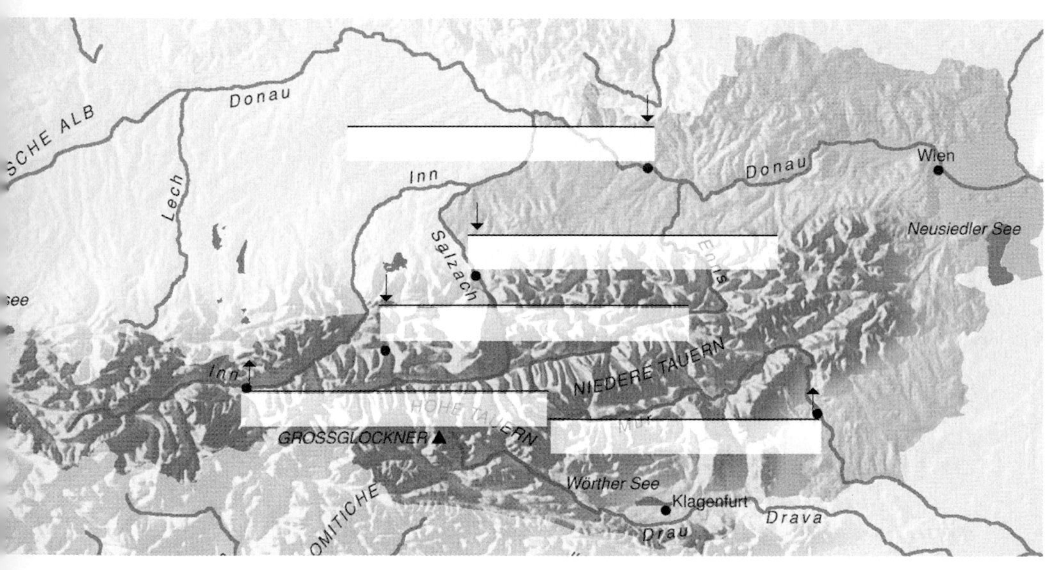

Auch die Republik Österreich ist ein Bundesstaat im Alpengebiet. Die neun Bundesländer sind Vorarlberg, Tirol, Salzburg, Oberösterreich und Kärnten im Westen sowie die Steiermark, Niederösterreich und das Burgenland im Osten. Die Hauptstadt Wien befindet sich im Nordosten. Nachbarländer sind die Schweiz, Liechtenstein, Italien, Slowenien, Ungarn, die Tschechische Republik und die Bundesrepublik Deutschland. Höchster Berg ist der Großglockner (3797 m). In der Hauptstadt Wien leben über 20% der Gesamtbevölkerung. Weitere Großstädte sind Innsbruck (am Inn), Salzburg (an der Salzach, an der deutschen Grenze), Linz (an der Donau, etwa 100 Kilometer nordöstlich von Salzburg) und Graz (im Südosten, in der Steiermark). Wichtigster Wirtschaftszweig ist der Tourismus: Österreich steht auf Platz 6 der beliebtesten Reiseländer. Weltbekannte Urlaubsziele sind Wintersportzentren wie Kitzbühel (in Tirol, zwischen Innsbruck und Salzburg), der Wörthersee in Kärnten (bei Klagenfurt), die „Mozartstadt" Salzburg und natürlich die traditionsreiche Hauptstadt Wien. Auch für die Bundesdeutschen ist Österreich das beliebteste Ferienziel. Kein Wunder: Hier spricht man Deutsch.

Arbeiten Sie zu zweit und vergleichen Sie Ihre Eintragungen.

20 **Dies ist die Lösung des Kreuzworträtsels. Ergänzen Sie die passenden Fragen.**

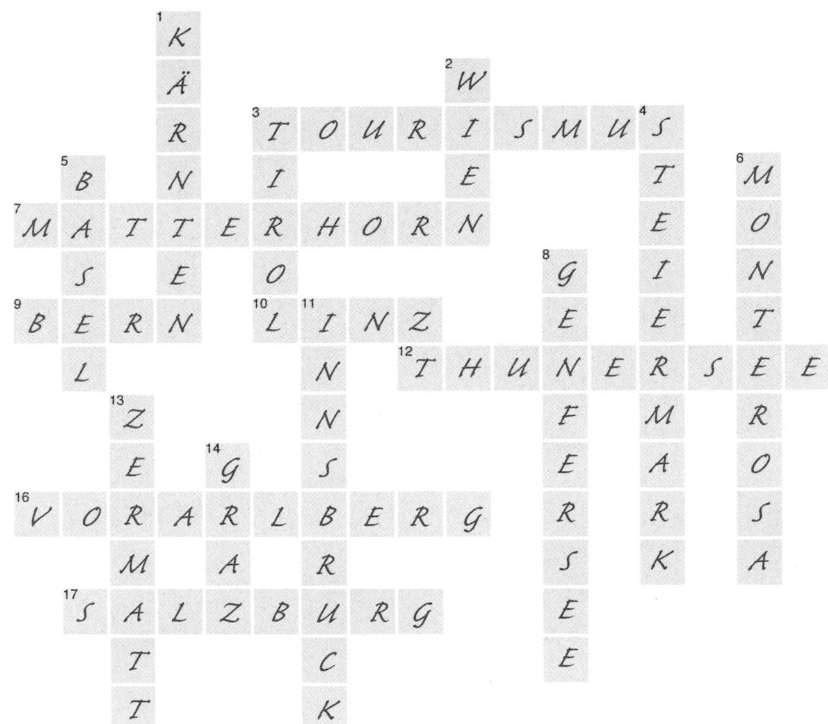

Stadt ◆ Berg ◆ See ◆ Bundesland ◆ Wirtschaftszweig

Waagerecht

3 *Welcher Wirtschaftszweig* ist für die Schweiz und Österrreich besonders wichtig?
7 *Welch* ______ ist 4478 m hoch?
9 ______ ist die Hauptstadt der Schweiz?
10 ______ an der Donau liegt etwa 100 km von Salzburg entfernt?
12 ______ liegt bei Thun?
16 ______ liegt im Westen von Österreich?
17 ______ liegt an der deutschen Grenze südöstlich von München?

Senkrecht

1 ______ liegt im Süden von Österreich?
2 ______ ist die Hauptstadt Österreichs?
3 ______ liegt neben Vorarlberg?
4 ______ liegt neben Kärnten?
5 ______ liegt im Nordwesten der Schweiz?
6 ______ ist der höchste in der Schweiz?
8 ______ liegt im Südwesten der Schweiz?
11 ______ liegt in Tirol?
13 ______ liegt beim Matterhorn?
14 ______ liegt in der Steiermark?

Machen Sie ein ähnliches Rätsel mit sechs bis zehn Fragen zu Ihrem Land. Tauschen Sie die Rätsel im Kurs und lösen Sie das Rätsel.

E So ein Pech!

21 Ordnen Sie die Ausdrücke den Bildern zu und schreiben Sie dann Sätze im Perfekt.

Wetter schlecht sein ◆ viel diskutieren ◆ das Flugzeug reparieren ◆ nur regnen ◆ die ganze Nacht Diskomusik hören ◆ das Wetter doch noch schön werden ◆ vom Flughafen zum Hotel 8 Stunden mit dem Bus fahren ◆ nur Tee trinken ◆ krank werden ◆ viele Cocktails trinken ◆ nicht schlafen ◆ Beach-Volleyball spielen ◆ nette Leute kennen lernen ◆ mit ihrer Mutter telefonieren ◆ ~~5 Stunden auf das Flugzeug warten~~ *1* ◆ einen tollen Sonnenuntergang fotografieren

1

Das Flugzeug war kaputt.

a) *Regina hat 5 Stunden auf das Flugzeug gewartet*.

b) *Aber Gott sei Dank haben sie* .

2

c) .

3

d) .

e) .

4

f) *Von ihrem Zimmer aus* .

g) .

5

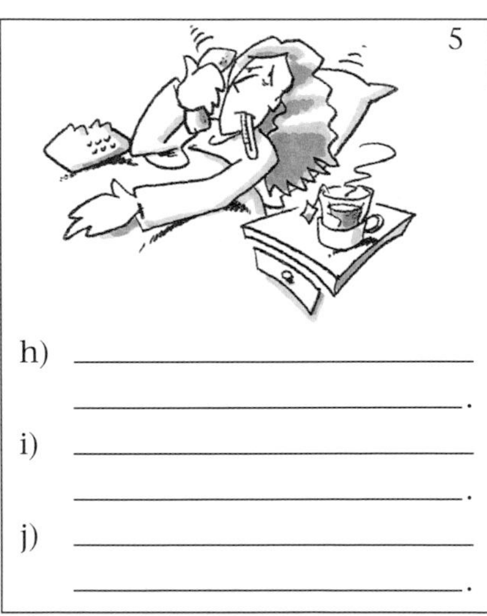

h) .

i) .

j) .

6

k) *Aber schließlich* .

l) .

7

m) .

n) .

8

o) .

F Der Ton macht die Musik

22 Hören und vergleichen Sie.

24

„S" spricht man im Deutschen [s] oder [z].

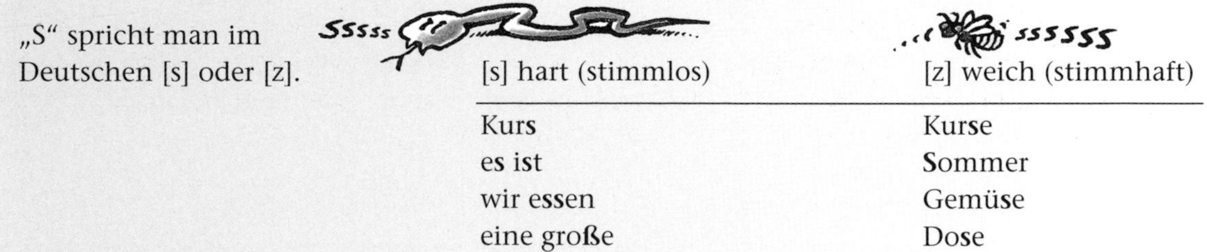

[s] hart (stimmlos)	[z] weich (stimmhaft)
Kurs	Kurse
es ist	Sommer
wir essen	Gemüse
eine große	Dose

23 [s] oder [z]? Hören Sie, sprechen Sie nach und markieren Sie.

25

	[s]	[z]		[s]	[z]		[s]	[z]
Sonntag		X	Dis-ko			dreißig		
ist	X		Mu-sik			Pässe		
außerdem	X		Glas			heißen		
alles			Saft			rei-sen		
sehr			Tasse			Bus		
güns-tig			Suppe			bis		
super			etwas			sofort		
Preis			Kä-se			Schluss		

Ergänzen Sie die Regeln.

!

	Beispiel
„ss" spricht man immer [s]	*Tasse*
„ß" spricht man immer [ ]	
„s" am Wortanfang spricht man immer [ ]	
„s" am Wortende spricht man immer [ ]	
„s" im Wort spricht man — am Silbenanfang [ ]	
„s" im Wort spricht man — am Silbenende [ ]	

24 Wo spricht man [z]? Markieren Sie.

Haus	Häuser	sauer	als	al-so	fließen
sicher	sechs	hast	Sachen	be-suchen	begrüßen
sehen	Süden	Os-ten	Kur-se	Kasse	Glä-ser
Sams-tag	selten	Flüsse	lei-se	le-sen	Sonne
Reis	Rei-se	süß	Pau-se	interessant	Sofa

26 **Hören Sie, sprechen Sie nach und vergleichen Sie.**

25 Hören Sie, sprechen Sie nach und markieren Sie [ʃ].

27

Schule	Mensch	Flasche	zwischen	schenken	falsch
Sport	spät	spielen	spannend	sprechen	Spanisch
Bei-spiel	Ge-spräch	Haus-par-ty	Aus-spra-che	Pros-pekt	Ver-spä-tung
Streit	Stunde	still	Stock	stark	Stück
ver-steht	flüs-tern	be-stimmt	Fest	lus-tig	an-stren-gend
Sprech-stun-de	Herbst-spa-zier-gang	Gast-spiel	Schau-spie-ler	Ge-burts-tags-party	

Ergänzen Sie die Regeln.

> **!**
>
> | | | | Beispiel |
> |---|---|---|---|
> | ______ | spricht man immer | [ʃ] | *Schule, Deutsch* |
> | ______ | am Wort- oder Silben**anfang** spricht man fast immer | [ʃp] | ______ |
> | ______ | am Wort- oder Silben**anfang** spricht man fast immer | [ʃt] | ______ |
>
> Die Silbenmarkierungen finden Sie im Wörterbuch.

Ge·burts·tags·kind *das; hum;* j-d, der gerade Geburtstag hat: *Das G. lebe hoch!*

Sprech·stun·de *die;* e-e bestimmte Zeit, in der man *z. B.* zu e-m Arzt, zu e-m Lehrer *o. Ä.* gehen kann, um sich e-n Rat zu holen od. um Fragen zu stellen

26 Üben Sie.

28

stimmloses „s“ = [s]
Sagen Sie „Passs“.

„sch“ = [ʃ]
Sagen Sie weiter „sssssssss“ und machen Sie die Lippen rund (wie bei „o“):
[s] wird zu [ʃ]
Sagen Sie „schschschschsch“ – „schschsch“ – „sch“ – „sch“...

Sagen Sie: schon, schön, spät, still
Sagen Sie: Es ist schon spät – es ist schön still ...

27 Hören und sprechen Sie.

29-30

Flüster-Gespräch

- ■ Es ist so still.
- ● Pssst!
- ■ Was ist los?
- ● Sei still!
- ■ Wieso?
- ● Psst!
- ■ Was soll das?
- ● Mist!
- ■ Was ist Mist?
- ● Musst du ständig sprechen? Sei jetzt still!
- ■ Wieso soll ich nicht sprechen?
- ● Psst!
- ■ Sag' sofort wieso!
- ● Schade.
- ■ Was ist schade?
- ● Es war so schön still hier, bis du ...
- ■ Bis ich was?
- ● Bis du das gesagt hast.
- ■ Bis ich was gesagt habe?
- ● Bis du gesagt hast: Es ist so still.

Anstrengende Gastspiele

Gestern Stuttgart, heute Münster,
morgen Bus bis Düsseldorf.
Reisen – spielen – spielen – reisen,
Samstag, Sonntag Spätvorstellung.
Starke Stücke, schlechte Stücke,
zwischen Stücken süße Stücke.
Sehr selten sind Pausen,
die Stimme schon leise,
aber die Kasse stimmt.

Testen Sie sich!

Was ist richtig: a, b oder c? Markieren Sie bitte.

Beispiel:
Wie heißen Sie?
Mein Name ________ Schneider.
- [ ] a) hat
- [x] b) ist
- [ ] c) heißt

1 ● Was möchten Sie im Urlaub machen?
■ Vor allem Sehenswürdigkeiten ________.
a) besichtigen
b) treiben
c) lernen

2 ● Welches ________ findest du interessant?
■ Die Mittelmeer-Kreuzfahrt.
a) Angebot
b) Urlaub
c) Urlaubs-Typ

3 ● ________ du schon einmal über die Datumsgrenze ________?
■ Nein, leider noch nicht.
a) Bist … fliegen
b) Hast … geflogen
c) Bist … geflogen

4 ● Hast du schon einmal deinen Pass ________?
■ Ja, das war ziemlich schrecklich.
a) verpassen
b) vergessen
c) passieren

5 ● Was haben Sie am letzten Wochenende gemacht?
■ Ich habe meine Eltern ________.
a) gegangen
b) besuchen
c) besucht

6 ● Wie war denn euer Flug?
■ Furchtbar, wir ________ schon mit einer Stunde Verspätung ________.
a) sind … abgeflogen
b) haben … abgeflogen
c) sind … abfliegen

7 ● Welches Bundesland liegt ________ Brandenburg?
■ Mecklenburg-Vorpommern.
a) Norden von
b) nördlich als
c) nördlich von

8 ● ________ Stadt liegt im Süden von Düsseldorf?
■ Das ist Köln.
a) Welche
b) Welches
c) Welcher

9 ● Welche ________ gibt es in Baden-Württemberg?
■ Zum Beispiel Schwarzwälder Kirschtorte.
a) Spezialitäten
b) Wahrzeichen
c) Attraktionen

10 ● ________ Gebirge südlich von München?
■ Die Alpen.
a) Welche
b) Welches
c) Welcher

11 ● Was bedeutet denn ________?
■ Das ist ein Volksfest mit Kostümen und Masken.
a) Kulturzentrum
b) Ballungsgebiet
c) Karneval

12 ● Was ist Juan Lojo Fabeiro von Beruf?
■ ________.
a) Reiseleiter
b) Reiseroute
c) Reisegruppe

13 ● Wie war es denn in Weimar?
■ Na ja, auf der Fahrt dorthin hatten wir einen Unfall, aber es ________ nicht viel ________.
a) ist … passieren
b) ist … passiert
c) hat … repariert

14 ● Was hast du denn den ganzen Abend gemacht?
■ Ich war mit Freunden in der Kneipe, wir haben lange ________.
a) telefoniert
b) studiert
c) diskutiert

15 ● Hat du auch in München ________?
■ Nein, in Berlin.
a) studierst
b) studiert
c) studieren

Selbstkontrolle

1 Urlaub

Was kann man im Urlaub alles machen?

Wo und wie möchten Sie gerne einmal Urlaub machen?

Was haben Sie in Ihrem letzten Urlaub gemacht?

2 Wie finden Sie …?

eine Kreuzfart:

eine Weltreise in 12 Tagen:

Ihren Wohnort:

das Wetter heute:

3 Was wissen Sie über Deutschland?

4 Mein Heimatland

Beschreiben Sie: Geografie, Hauptattraktionen, Spezialitäten …

Ergebnis:

Ich kann …	✔✔	✔	–
1 über das Thema Urlaub sprechen – verschiedene Urlaubsaktivitäten beschreiben – sagen, wo und wie ich Urlaub machen möchte – über meinen letzten Urlaub berichten			
2 sagen, wie ich etwas finde			
3 etwas über Deutschland erzählen			
4 über mein Heimatland berichten			
Außerdem kann ich:			
– Postkarten lesen			
– landeskundliche Informationstexte verstehen			

Lernwortschatz

Kursiv gedruckte Wörter sind Wortschatz der Niveaustufe B1. Diese Wörter müssen Sie nicht für die Prüfung **Start Deutsch 2 / Start Deutsch 2z** lernen.

Nomen

Abfahrt die *(nur Singular)*
Ankunft die *(nur Singular)*
Ausflug der, ¨-e
Autobahn die, -en
Bar die, -s
Berg der, -e
Bewegung die, -en
Boot das, -e
Camping das (nur Singular)
Dichter der, -
Einwohner der, -
Fahrt die, -en
Fabrik die, -en
Fluss der, ¨-e
Gebäude das, -
Gebirge das, -
Gelegenheit die, -en
Geschichte die (nur Singular)
Gepäck das *(nur Singular)*
Grenze die, -n
Gruß der, ¨-e
Hafen der, ¨-
Hauptstadt die, ¨-e
König der, -e
Kontinent der, -e
Kostüm das, -e
Kultur die, -en
Lage die (nur Singular)
Mechaniker der, -
Meer das, -e
Prospekt der, -e
Qualität die *(nur Singular)*
Recht das *(nur Singular)*
Region die, -en
Rückfahrt die, -en
Sitz der, -e
Sonne die, -n
Spaziergang der, ¨-e
Streit der *(nur Singular)*
Strand der, ¨-e
Teil das, -e
(Ein hübsches Teil.)
Unfall der, ¨-e
Verspätung die, -en
Wald der, ¨-er
Wirtschaft die *(nur Singular)*
Zahn der, ¨-e
Zeichen das, -
Zeitschrift die, -en
Zentrum das, Zentren
Zeug das (nur Singular)
Ziel das, -e
Zug der, ¨-e

Verben

abfliegen, ist abgeflogen
ankommen, ist angekommen
ansehen + AKK, hat angesehen
aussprechen + AKK, hat ausgesprochen
beginnen, hat begonnen
benutzen + AKK, hat benutzt

beschreiben + *AKK,*
hat beschrieben
bestehen + aus DAT,
hat bestanden
bleiben, ist geblieben
einkaufen, hat eingekauft
einschlafen,
ist eingeschlafen
erleben + *AKK, hat erlebt*
fliegen, ist geflogen
fließen ist geflossen
fotografieren + *AKK,*
hat fotografiert
gehen, ist gegangen
geschlossen (➛ *Partizip II*
von schließen)

mitbringen + AKK,
hat mitgebracht
mitmachen,
hat mitgemacht
passieren, ist passiert
planen + *AKK*
sein, ist gewesen
sitzen, hat gesessen
Sport treiben
tun + AKK, hat getan
verbessern + *AKK,*
hat verbessert
vergessen, hat vergessen
verstehen + AKK,
hat verstanden

Adjektive

berühmt
braun
fit
kühl
lieb
lustig

perfekt
prima
regelmäßig
spät
typisch
unregelmäßig

andere Wörter / Ausdrücke

alles
aus aller Welt
bei Nacht
es geht weiter
Hallo, Ihr Lieben!
hoffentlich
im Norden
im Osten
im Süden
im Westen
Klasse!

Liebe Grüße
Liebe Rosi, ...
möglich
neulich
seit
schon einmal
Stell dir vor!
(➛ sich etwas vorstellen)
täglich
vor drei Jahren
völlig
was = etwas

„Gesundheit!" – „Danke."

LEKTION 3

A Der Körper

1 **Malen Sie die Bilder zu Ende. Überlegen Sie: Wie heißen die Körperteile auf Deutsch? Sagen Sie die Wörter laut.**

2 **Suchen Sie die Körperteile und schreiben Sie die Namen zu den passenden Bildern.**

T	B	A	U	C	H	H	S	T	A
U	R	Ü	C	K	E	N	C	R	R
A	U	G	E	N	F	N	H	D	M
B	S	L	A	I	D	M	U	N	D
U	Z	H	R	E	N	N	Y	F	H
S	K	J	L	L	G	E	T	U	A
E	H	L	B	Ü	E	P	E	ß	X
N	A	S	E	O	R	W	R	L	R
T	N	A	I	K	O	P	F	A	E
K	D	A	N	D	V	O	H	R	W

1 __________
2 __________
3 *Bein*
4 *Bauch*
5 __________
6 __________
7 __________
8 __________
9 __________
10 __________
11 __________
12 __________
13 __________

KURSBUCH A 2

3 Ergänzen Sie.

Diabetes ◆ Übergewicht ◆ ~~Kopfschmerzen~~ ◆ Allergie ◆ Grippe ◆
Rückenschmerzen ◆ Bauchschmerzen

1 Ich habe gestern zu viel Bier getrunken. Jetzt habe ich *Kopfschmerzen*.
2 Florian liegt im Bett. Er hat hohes Fieber und Husten. Er hat ________________.
3 Immer wenn ich die Katze von Müllers sehe, bekomme ich Schnupfen. Ich habe eine ________________ gegen Katzenhaare.
4 Der Arzt sagt, sie muss eine Diät machen, weil sie zu viel wiegt. Sie hat ________________.
5 Regina hat zu viel Sport getrieben. Sie hat ________________.
6 Frau Schmitt darf keine Süßigkeiten essen, weil sie ________________ hat.
7 Ich habe gestern zu viel gegessen. Heute habe ich schreckliche ________________.

KURSB A 3–

4 Was passt?

haben ◆ sein ◆ (ein)nehmen ◆ werden

1 müde *sein / werden*
2 krank ________________
3 gesund ________________
4 Kopfschmerzen ________________
5 Tabletten ________________
6 Bauchschmerzen ________________
7 Rückenschmerzen ________________
8 Tropfen ________________
9 Medikamente ________________
10 zu dick ________________
11 hohen Blutdruck ________________
12 eine Erkältung ________________
13 Übergewicht ________________

Er ist krank.

Sie wird krank.

5 Geben Sie gute Ratschläge. Schreiben Sie kleine Dialoge.

ein paar Probleme	ein paar Ratschläge
1 immer müde	weniger rauchen, nicht so lange fernsehen …
2 zu dick	mehr Sport treiben, Gymnastik machen …
3 nervös	ein Glas Sekt trinken, keinen Alkohol trinken …
4 immer zu spät	keine Süßigkeiten essen, viel Obst essen …
5 Termine vergessen	alles aufschreiben …
6 …schmerzen	einen lauten Wecker kaufen, einen Kalender kaufen …
7 Fieber haben	eine Tablette nehmen, im Bett bleiben …
8 nicht einschlafen können	zum Arzt gehen, Medikamente nehmen …
9 zu wenig schlafen	nicht so viel arbeiten, mal Urlaub machen …
10 Angst vorm Fliegen haben	mehr schlafen, früher aufstehen, früher ins Bett gehen …
…	…

■ *Ich habe oft furchtbare Kopfschmerzen! Was soll ich nur tun?*
● *Du solltest weniger rauchen, keinen Alkohol trinken und nicht so lange fernsehen.*
…

KURS A

6 **Sortieren Sie die Antworten.**

Seit zwei, drei Wochen. ◆ Danke. ◆ Hier unten. Aua! ◆
Nein. Ich weiß nicht, warum ich Rückenschmerzen habe. ◆
Ja, das stimmt. Ich arbeite am Bildschirm. ◆ Auf Wiedersehen. ◆ Ja, ich werde es versuchen. ◆
Na ja, ich möchte schon mehr Sport machen, aber viel Zeit bleibt da nicht. ◆
Guten Tag, Herr Doktor!✓◆ Sekretärin. ◆ Mein Rücken tut so weh.

Der Arzt sagt.	Die Patientin antwortet.
Guten Tag, Frau Rathke!	*Guten Tag, Herr Doktor!*
Was fehlt Ihnen denn?	
Seit wann haben Sie denn die Schmerzen?	
Haben Sie etwas Schweres gehoben?	
Wo tut es denn weh?	
Was sind Sie denn von Beruf?	
Und da sitzen Sie wahrscheinlich viel.	
Treiben Sie denn in Ihrer Freizeit Sport?	
Tja, dann sollten Sie viel schwimmen und spazieren gehen …	
Gut. Kommen Sie in zwei Wochen noch mal vorbei. Dann sehen wir weiter.	
Auf Wiedersehen und gute Besserung.	

31 **Hören und vergleichen Sie. Markieren Sie den Satzakzent (__) und die Satzmelodie (↗↘→).**

7 **Schreiben Sie einen Dialog.**

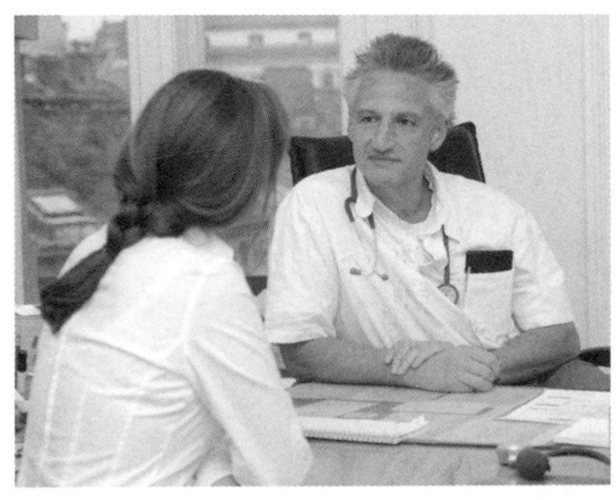

Tag!	*Tag!*
Was fehlt Ihnen denn?	*Ich habe … / Mein … tut weh.*
…	…
Ich verschreibe Ihnen ein Medikament gegen …	…
Sie sollten …	…
…	…
Wiedersehen!	*Wiedersehen!*

KURSBUCH B 1–B 6

B Die besten Vergleiche: Gern – lieber – am liebsten

8 Ergänzen Sie die passenden Formen.

		Komparativ	Superlativ	
Gruppe 1: regelmäßig	billig	billiger	am billigsten	die/der das billigste
	dick			
	langsam			
	schlimm			
	schnell			
	schön			
	sparsam			
	wenig		am wenigsten	
Gruppe 2: mit Umlaut	alt			
	gesund	gesünder	am gesündesten	die/der/das gesündeste
	groß			
	lang			
	warm			
Gruppe 3: unregelmäßig	gern			
	gut			
	hoch	höher		der/die/das höchste
	teuer		am teuersten	
	viel	mehr	am meisten	

9 Ergänzen Sie die Adjektive im Komparativ.

warm ◆ sparsam ◆ gern ◆ schnell ◆ bequem ◆ ~~viel~~ ◆ gesund ◆ wenig

1 In meiner neuen Firma verdiene ich *mehr* ________ als früher. Gott sei Dank!
2 Theater finde ich langweilig. Ich gehe ________ ins Kino.
3 Mein Arzt sagt, ich soll ________ rauchen.
4 Obst ist ________ als Fleisch.
5 Ich gebe zu viel Geld aus. Ich muss ________ werden.
6 Das neue Sofa ist wirklich viel ________ als das alte.
7 Fahren wir doch im Dezember in die Karibik. Dort ist es ________ als hier!
8 Schreib doch eine E-Mail. Das geht doch viel ________!

10 Widersprechen Sie. Ergänzen Sie.

1 Das ist doch eine gute Idee! – Nein, meine ist *besser* ________.
2 Fabian ist älter als Sybille. – Nein, der ist doch ________.
3 Sein zweiter Film ist langweiliger als der erste. – Ich finde ihn ________ als den ersten.
4 Rauchen Sie mehr als 20 Zigaretten pro Tag? – Nein, viel ________.
5 Gehen wir schwimmen? – Nein, ich bleibe ________ zu Hause.
6 Xavier hat abgenommen. – Findest du? Ich glaube, er ist ________ geworden.

11 Hören und antworten Sie.

32

So, liebe Hörerinnen und Hörer, und jetzt die neue Runde unseres Spiels „Kurze Frage – kurze Antwort – guter Grund." Und hier ist schon unser erster Kandidat am Telefon. Guten Tag, Sie kennen die Spielregeln? Fangen wir gleich an. Erste Frage:

- ● *Wo möchten Sie wohnen: in der Stadt oder auf dem Land?*
- ■ *In der Stadt – das ist interessanter.* oder *Auf dem Land – das ist ruhiger.*
- ● *Und wie möchten Sie da wohnen? In einer Wohnung oder in einem Haus?*

in der Stadt (interessant)	auf dem Land (ruhig)
in einer Wohnung (billig)	in einem Haus (groß)
mit Bus und Bahn (schnell)	mit dem Auto (praktisch)
telefonieren (einfach)	schreiben (schön)
selbst kochen (gesund)	Fertiggerichte kaufen (praktisch)
im Feinkostladen (gut)	im Supermarkt (billig)
Fußball (interessant)	Volleyball (lustig)
Urlaub in den Bergen (schön)	Urlaub am Meer (schön)

12 Höher, größer, schneller …? Vergleichen Sie.

Die Inlineskates sind schneller als das Fahrrad.
Ich glaube aber, sie sind gefährlicher.
…

Finden Sie weitere Vergleiche.

KURSBUCH B 7

13 Ergänzen Sie die passenden Superlative.

attraktiv ◆ billig ◆ gesund ◆ gern ◆ gut ◆ schnell ◆ schön ◆ sympathisch

1 Was trinkst du ____________? – Cola
2 Das ist aber nicht so gesund. – Ja, aber es schmeckt mir ____________.
3 Was ist denn ____________? – Mineralwasser und Tee.
4 Wie komme ich denn ____________ zu einem Arzt? – Gehen Sie die Leipziger Straße immer geradeaus und dann die dritte Straße links, da ist eine Arztpraxis.
5 Du bist doch letzten Monat nach Griechenland geflogen. Welche Airline war denn ____________?
6 Und welches Hotel war ____________?
7 Welche Sportlerin findest du ____________?
8 Welchen Sportler findest du denn ____________?

14 Ergänzen Sie die passenden Superlative.

teuer ◆ groß ◆ jung ◆ erfolgreich ◆ bekannt ◆ viel ◆ wertvoll

1 Die Galactic Fantasy Suite im Kasino Hotel Crystal Palace Resort auf den Bahamas kostet 25 000 Dollar pro Nacht. Das ist das ____________ Hotelzimmer der Welt.
2 Das MGM Grand Hotel in Las Vegas hat 5009 Zimmer. Es ist das ____________ Hotel der Welt.
3 Peter Zank ist 219 cm groß. Er ist der ____________ lebende Österreicher.
4 Kennen Sie „Mona Lisa"? Das Gemälde ist im Louvre in Paris. Es ist das ____________ Bild der Welt.
5 Aus Österreich kommt das ____________ Weihnachtslied: „Stille Nacht, heilige Nacht".
6 Robert und Carmen Becker sind das Ehepaar, das die ____________ Reisen gemacht hat. Sie waren in 192 Ländern.
7 Gari Kasparow war 22 Jahre alt, als er Schachweltmeister wurde. Er war der ____________ Schachweltmeister aller Zeiten.
8 Die ____________ Rockgruppe waren die Beatles. Bis heute verkauften sie mehr als 1 Milliarde Platten und Kassetten.

KURS C 1-

C Was machen Sie, wenn ...?

15 Was machen die Leute, wenn sie krank sind? Wer sagt was?

1 Wenn ich mich schlecht fühle, ... *2 Wenn ich krank bin, ...* *3 Wenn ich eine Erkältung habe, ...*

3 ... lege ich mich ins Bett.
... bekomme ich mein Lieblingsessen.
... dann darf ich nicht mit meinen Freunden spielen.
... nehme ich Tabletten und arbeite weiter.
... dann gehe ich sofort zum Arzt.
... muss ich im Bett bleiben.
... kann ich nicht zu Hause bleiben, sondern muss weiterarbeiten.

Hören und vergleichen Sie.

16 Was passt?

1 Wenn ich Fieber habe, h
2 Wenn ich Heimweh habe,
3 Wenn ich nervös bin,
4 Wenn ich Geburtstag habe,
5 Wenn ich eine Reise mache,
6 Wenn ich ins Restaurant gehe,
7 Wenn ich Vokabeln lernen muss,
8 Wenn ich mich zu dick fühle,

a) lese ich vorher immer viele Bücher über das Land.
b) mache ich immer eine große Party.
c) faste ich eine Woche lang.
d) reserviere ich immer vorher einen Tisch.
e) rauche ich zu viel.
f) schreibe ich sie alle auf.
g) rufe ich zu Hause an.
h) lege ich mich ins Bett.

17 Und was machen Sie, wenn Sie krank sind?

1 Wenn ich mich schlecht fühle, ________________

2 Wenn ich krank bin, ________________

3 Wenn ich eine Erkältung habe, ________________

18 Ergänzen Sie.

1 Treibst du gerne Sport? – (im Urlaub sein)
Nur wenn *ich im Urlaub bin*.

2 Darf ich noch ein bisschen fernsehen? – (vorher dein Zimmer aufräumen)
Ja, wenn ________________.

3 Bist du manchmal nervös? – (fliegen müssen)
Ja, wenn ________________.

4 Gehst du mit ins Theater? – (die Karten nicht zu teuer sein)
Ja, wenn ________________.

5 Nimmst du manchmal Medikamente? – (sehr krank sein und arbeiten müssen)
Ja, wenn ________________.

6 Möchtest du etwas essen? – (mit der Übung/mit den Hausaufgaben fertig sein)
Ja, gleich/gern, wenn ________________.

KURSBUCH C 5

19 Schreiben Sie das Gedicht und ersetzen Sie die Bilder durch die passenden Wörter.

Erich Fried

Was wehtut

Wenn ich dich
verliere
was tut mir dann weh?
Nicht der ________
nicht der ________
nicht die ________
und nicht die ________
Sie sind müde
aber sie tun nicht weh
oder nicht ärger*
als das eine ________ immer weh tut
Das Atmen tut nicht weh

Es ist etwas beengt**
aber weniger
als von einer Erkältung
Der ________ tut nicht weh
auch nicht der ________
Die Nieren*** tun nicht weh
und auch nicht das ________
Warum
ertrage ich es
dann nicht
dich zu verlieren?

* schlimmer; mehr
** schwer atmen können
***

36 **Hören und vergleichen Sie.**

20 Wählen Sie ein Thema/einen „Anfangssatz" und schreiben Sie ein ähnliches Gedicht.

1 Wenn ich Heimweh habe, ...
2 Wenn ich krank bin, ...
3 Wenn ich Vokabeln lernen muss, ... ?
4 Wenn ich ...

Was wehtut
Wenn ich Heimweh habe,
was tut mir dann weh?
Nicht ...

KURS D 1-

D Zwischen den Zeilen

21 Machen Sie aus den Adjektiven Nomen.

1 schön *die Schönheit*
2 freundlich *die Freundlichkeit*
3 unabhängig *die Unabhängigkeit*
4 krank ______
5 ähnlich ______
6 gesund ______
7 schwierig ______
8 pünktlich ______

Nach „-lich" und „-ig" steht immer die Endung „-keit". Adjektive schreibt man **klein**, Nomen schreibt man **groß**.

22 Machen Sie aus den Verben Nomen.

Beispiel:

bestellen → bestel~~len~~ + **-ung** → **die** Bestell**ung**

1 betonen ______
2 bezahlen ______
3 liefern ______
4 lösen ______
5 üben ______
6 wohnen ______

Nomen mit den Endungen **-heit**, **-keit**, **-ung** sind immer feminin.
Merkwort: **die Heitungkeit**

23 Ergänzen Sie passende Nomen aus 21 und 22.

1 Herr Müller ist nie unfreundlich. Er ist die ______ in Person.
2 Sven kommt fast immer zu spät: ______ ist nicht seine Stärke.
3 Anja und Oliver sind Geschwister – sie haben große ______ .
4 Fit ist „in". Immer mehr Menschen achten auf ihre ______ .
5 Die Kosmetik-Industrie macht hohe Umsätze: Die Deutschen geben immer mehr Geld für die ______ aus.
6 Die häufigste ansteckende ______ ist der Schnupfen.
7 Für junge Leute ist eine eigene ______ oft der erste Schritt in die ______ .
8 Chinesen haben oft ______ mit der Aussprache von „r" und „l".
9 „Der Wortakzent ist am Anfang" heißt: die ______ ist auf der ersten Silbe.
10 ______ der Waren innerhalb von drei Tagen nach Eingang Ihrer ______ , ______ bar oder mit Scheck.
11 Im Schlüssel zum Arbeitsbuch finden Sie die ______ zu allen ______ .

KURS

E Der Ton macht die Musik

24 Hören und vergleichen Sie.

37

„Ch" spricht man im Deutschen [x] [ç] [k] oder [ʃ].	[x]	[ç]	[k]	[ʃ]
	ach	**ich**	**Ch**arakter	**Ch**ef
	ko**ch**en	lei**ch**t	se**ch**s	**Ch**ance

25 [x] oder [ç]? Hören Sie, sprechen Sie nach und markieren Sie.

38

	[x]	[ç]		[x]	[ç]		[x]	[ç]		[x]	[ç]
machen	X		Woche			möchten			euch		
Licht		X	sprechen			Küche			Brötchen		
lachen	X		Würstchen			Kuchen			brauchen		
richtig			suchen			Bäuche			manchmal		
Koch			Gespräch			gleich			Milch		
König			Griechenland			Bauch			durch		

Ergänzen Sie die Regeln.

> **!**
> 1 Die Buchstaben-Kombination „ch" spricht man meistens als [ ].
> 2 Nach den Vokalen ________ und dem Diphthong _____ spricht man „ch" als [x].
> 3 Das „ch" in der Endsilbe „-chen" von Nomen (= Verkleinerungsform) spricht man immer [ ].
> 4 Am Wortende spricht man „-ig" oft als [ ], aber in Süddeutschland, der Schweiz und Österreich als „-ig" [k].

26 Wo spricht man [x]? Markieren Sie.

München	nach	schlecht	Schachtel
Durchsage	rauchen	Würstchen	echt
traurig	Gedicht	lächeln	unterstreichen
doch	gemütlich	reich	pünktlich
Bücher	vergleichen	Mittwoch	billig
sicher	Sachen	besuchen	furchtbar

Hören und vergleichen Sie.

27 Üben Sie.

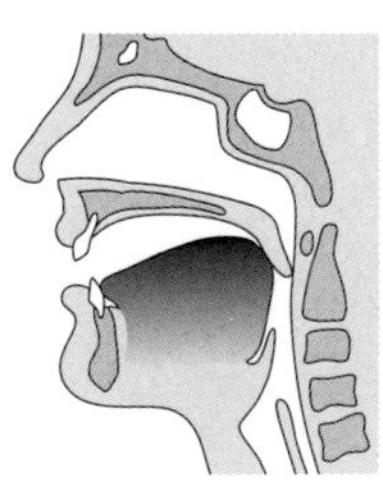

„ch" = [x]
Sagen Sie „kuk", „ku", „k". Sagen Sie „k", aber öffnen Sie die Verschlussstelle (hintere Zunge am hinteren Gaumen) nur langsam und ein bisschen: „k" [k] wird zu „ch" [x].
Sagen Sie:
der Koch macht Kuchen, auch nach Kochbuch, noch nach Wochen

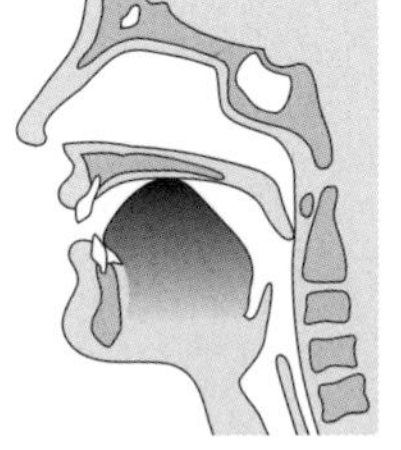

„ch" = [ç]
Sagen Sie „ja". Sagen Sie leise „ja", „jjja", „jjj". Jetzt ohne Stimmton: Holen Sie tief Luft und flüstern Sie „jjj": „jjj" [j] wird zu „chchch" [ç].

Sagen Sie:
er lacht – sie lächelt, der Koch – die Köchin, das Buch – die Bücher, auch – euch, Nacht – nicht, acht – echt

28 Wählen Sie ein Gedicht. Üben Sie.

Bei Gewitter
Buchen sollst du suchen.
Eichen sollst du weichen.

Nichtraucher
Wir brauchen nicht zu rauchen.
Und ihr?
Wir brauchen auch nicht zu rauchen.
Möchtest du eine?
Ich bin Nichtraucher.
Macht doch nichts.

Geburtstag
Kuchen backen
Essen kochen
mit Freunden lachen
Spiele machen
nachts noch fröhlich feiern
Gute Nacht – jetzt reicht's

Hören und vergleichen Sie.

KURSB F 1-

F Im Restaurant

29 „aus", „mit" oder „ohne"? Markieren Sie.

		aus	mit	ohne
1	Eine Tomatensuppe ist eine Suppe ________ Tomaten.	X		
2	Ein Schinkenbrot ist ein Brot ________ Schinken.			
3	Orangensaft ist ein Saft ________ Orangen.			
4	Vegetarische Lasagne ist eine Lasagne ________ Fleisch.			
5	Cappuccino ist ein italienischer Kaffee ________ Milch.			
6	Vollkornbrot ist ein Brot ________ Vollkorn.			
7	Bauernsalat ist ein Salat ________ Schafskäse und Oliven.			

30 Was passt?

1 Guten Abend, wir haben einen Tisch reserviert, auf den Namen Hauk! *f*
2 Sie möchten bestellen? ___
3 Salat „Nico", ich weiß gar nicht, was das ist. ___
4 Guten Appetit! ___
5 Und schmeckt's? ___
6 Sie möchten zahlen? ___
7 Das macht 26 Euro 50. ___

a) Ja, alles zusammen, bitte!
b) Mm, ja lecker!
c) Das ist ein Salat mit Käse.
d) Danke, gleichfalls.
e) Ja, bitte. Also, ich nehme eine Suppe und ein Mineralwasser.
f) Ja, richtig, kommen Sie bitte mit.
g) Hier sind 30 Euro. Stimmt so!

KURSB F 4-

Testen Sie sich!

Was ist richtig: a, b oder c? Markieren Sie bitte.

Beispiel:
Wie heißen Sie?
Mein Name ________ Schneider.
- [ ] a) hat
- [x] b) ist
- [ ] c) heißt

1 ● Guten Tag. Was ________ Ihnen denn?
■ Ich habe seit einer Woche Rückenschmerzen.
- [ ] a) haben
- [ ] b) fehlt
- [ ] c) tut

2 ● Ich habe starke Kopfschmerzen.
■ Du ________ eine Tablette nehmen.
- [ ] a) sollst
- [ ] b) darfst
- [ ] c) solltest

3 ● Was kann ich denn gegen mein Übergewicht tun, Herr Doktor?
■ Sie sollten ________ Süßigkeiten und ________ Obst essen.
- [ ] a) kein … viel
- [ ] b) wenig … mehr
- [ ] c) ziemlich … sehr

4 ● Wen findest du ________, Claudia Schiffer oder Steffi Graf?
■ Steffi Graf.
- [ ] a) sympathischer
- [ ] b) sympatische
- [ ] c) sympatischer als

5 ● Wo (In welchem Land?) essen die Leute ________?
■ Ich glaube in Japan, oder?
- [ ] a) am gesünder
- [ ] b) gesündesten
- [ ] c) am gesündesten

6 ● Wie alt wurde ________ Mensch?
■ Ich weiß nicht, Vielleicht 105 Jahre.
- [ ] a) älter als
- [ ] b) der älteste
- [ ] c) am ältesten

7 ● Kosten Light-Produkte mehr oder weniger ________ andere Lebensmittel?
■ Bestimmt weniger, oder?
- [ ] a) als
- [ ] b) bei
- [ ] c) am

8 ● Was machst du, ________ du nervös bist?
■ Ich lege mich hin und höre Musik.
- [ ] a) wann
- [ ] b) als
- [ ] c) wenn

9 ● ________ gehen wir ins Kino?
■ So gegen sieben.
- [ ] a) Wenn
- [ ] b) Wann
- [ ] c) Als

10 ● Was machst du, wenn du ________ hast?
■ Ich lade alle meine Freunde ein und feiere mit ihnen.
- [ ] a) Geburtstag
- [ ] b) Fieber
- [ ] c) Hunger

11 ● Möchtest du auch ein Stück Schokolade?
■ Nein, danke. Wenn ich Süßigkeiten esse, ________.
- [ ] a) ich bekomme Pickel
- [ ] b) bekomme ich Pickel
- [ ] c) ich Pickel bekomme

12 ● Isst du eine ________?
■ Ja, ich nehme eine Suppe.
- [ ] a) Menü
- [ ] b) Dessert
- [ ] c) Vorspeise

13 ● Ich möchte kein Fleisch essen. Wo finde ich Gerichte ohne Fleisch?
■ Hier stehen die ________ Gerichte.
- [ ] a) vegetarischen
- [ ] b) kalten
- [ ] c) nicht-alkoholischen

14 ● Was ist Börek?
■ Das ist Schafskäse ________ Spinat in Blätterteig.
- [ ] a) ohne
- [ ] b) aus
- [ ] c) mit

15 ● Was ist denn dein ________?
■ Gemüseauflauf.
- [ ] a) Speisekarte
- [ ] b) Lieblingsgericht
- [ ] c) Lieblingsfarbe

Selbstkontrolle

1 Gesundheit und Krankheit
Sie sind beim Arzt. Der Arzt fragt: „Was fehlt Ihnen denn?“ Was sagen Sie?

____.

Ein Freund ist immer müde und fragt Sie um Rat. Was sagen Sie?

____.

Ein Nachbar hat seit zwei Tagen Fieber. Geben Sie ihm einen Rat.

____.

2 Was machen Sie, wenn …? Antworten Sie.
Was machen Sie, wenn Sie Heimweh haben?

____.

Was machen Sie, wenn Sie nervös sind?

____.

3 Vergleichen Sie:

____

____.

4 Essen
Sie sind im Restaurant und lesen auf der Speisekarte: „Schneegestöber“.
Sie wissen nicht, was das ist. Fragen Sie den Kellner.

____.

Jemand fragt Sie nach einer typischen Speise aus Ihrem Heimatland. Was sagen Sie?

____.

Ergebnis:

Ich kann …	✔✔	✔	–
1 über Gesundheit/Krankheit sprechen – beim Arzt sagen, was mir fehlt – Ratschläge geben, wenn jemand krank ist			
2 Auskunft geben, was ich tue, wenn …			
3 Dinge und Menschen miteinander vergleichen			
4 über das Thema Essen sprechen – nachfragen, wenn ich ein Gericht auf einer Speisekarte nicht kenne – jemandem ein Essen aus meiner Heimat genau beschreiben/erklären			
Außerdem kann ich:			
– Krankheiten und Körperteile auf Deutsch benennen			
– über gesunde Ernährung sprechen			
– Speisekarten auf Deutsch lesen			

Lernwortschatz

Kursiv gedruckte Wörter sind Wortschatz der Niveaustufe B1. Diese Wörter müssen Sie nicht für die Prüfung **Start Deutsch 2 / Start Deutsch 2z** lernen.

Nomen

Alkohol der *(nur Singular)*
Appetit + auf AKK
Arm der, -e
Aussage die
Bahnhof der, ¨-e
Bauch der, ¨-e
Bein das, -e
Besserung die (nur Singular)
Brust die, ¨-e
Creme die, -s
Dessert das, -s
Diät die, -en
Ehe die, -n
Eis das *(nur Singular)*
Essig der (nur Singular)
Fieber das *(nur Singular)*
Finger der, -
Fuß der, ¨-e
Gericht das, -e
Geschmack der, ¨-er
Gesundheit die *(nur Singular)*
Grippe die *(nur Singular)*
Haar das, -e
Hals der, ¨-e
Hand die, ¨-e
Haut die, ¨-e
Heft das, -e
Hemd das, -en
Honig der (nur Singular)
Husten der *(nur Singular)*

Jacke die, -n
Job der, -s
Klavier das, -e
Knie das, -
Körper der, -
Kopf der, ¨-e
Krankheit die, -en
Material das, -ien
Medikament das, -e
Menge die, -n
Menü das, -s
Mund der, ¨-er
Nase die, -n
Ohr das, -en
Portion die, -en
Punkt der, -e
Rücken der, -
Sahne die (nur Singular)
Schicht die, -en
Schmerz der, -en
Schnitzel das, -
Schnupfen der (nur Singular)
Soße die, -n
Steak das, -s
Tablette die, -n
Tropfen (nur Plural)
Universität die, -en
Untersuchung die, -en
Wahl die (nur Singular)
Zwiebel die, -n

Verben

abnehmen, hat abgenommen
enthalten + AKK, hat enthalten
sich ernähren, hat sich ernährt
fehlen + DAT
feststellen + AKK
fragen + nach DAT
gebraten (➛ *Partizip II von* braten)
gehören + zu DAT
gemischt (➛ *Partizip II von* mischen)
kriegen + AKK
lauter stellen + AKK
raten, hat geraten
reden + mit DAT, hat geredet
sammeln + AKK
schimpfen + mit DAT
sterben, ist gestorben
vermuten + dass ... / + AKK, hat vermutet
wiegen + AKK, hat gewogen
wissen + dass ... / + AKK

Adjektive

dick
dunkel (dunkle)
eng
gesund
heiß
hoher (➛ hoch)
kalt
mager
satt
schlank
schlecht
süß
sympathisch
trocken
vegetarisch
verschieden
warm

andere Wörter / Ausdrücke

Der Mensch ist, was er isst!
Gesundheit!
Gleichfalls!
Ihnen
mittags
morgens
statt
unbedingt
ungefähr
wen

Farben und Typen

LEKTION 4

A Meine Lieblingsfarbe

1 Welche Wörter sind positiv, welche negativ?

Neid ◆ Revolution ◆ Nervosität ◆ Liebe ◆ Fernweh ◆ Glaube ◆ Fantasie ◆ Aberglaube ◆ Angst ◆ Gefahr ◆ Trauer ◆ Hoffnung ◆ Ruhe ◆ Tradition ◆ Kälte ◆ Energie ◆ Wärme ◆ Treue ◆ Aktivität

+	–

Welche Wörter haben den Akzent nicht auf der ersten Silbe?

44 **Hören und markieren Sie.**

> **Nomen aus anderen Sprachen**
> Nomen mit den Endungen **-tät**, **-ion** und **-ie** sind immer feminin. Man betont sie auf der letzten Silbe.
> Merkwort: die **Tätionie**

KURSBUCH A 2–A 4

2 Machen Sie das Kreuzworträtsel und ergänzen Sie die passenden Wörter.

Waagerecht:

2 ______ wie ein Regenbogen
6 ______ wie eine Maus
7 ______ wie bittere Schokolade
8 ______ wie die Veilchen
10 ______ wie der Salat
11 ______ wie die Milch

Senkrecht:

1 ______ wie eine Tomate
2 ______ wie der Himmel
3 ______ wie die Nacht
4 ______ wie eine Apfelsine
5 ______ wie die Sonne
9 ______ wie das Meer

B Blau steht Ihnen gut!

3 Was passt? Sortieren Sie die Adjektive.

hell ◆ schwarz ◆ blond ◆ rot ◆ grau ◆ graugrün ◆ glatt ◆ ~~lockig~~ ◆ braun ◆ blau ◆ blass ◆ schwarz ◆ dunkel ◆ kraus ◆ mit Sommersprossen ◆ grün

Haare *lockig* ______

______

______

Augen ______

______

______

Haut/Teint ______

______

KURS B 1-

4 Ergänzen Sie die Endungen. (Adjektive im Nominativ, unbestimmt)

1 Das sind aber schön*e* Farben! – Nein, die sind mir zu grell.
2 Das ist aber ein ruhig___ Haus! – Ja, im Moment sind alle Nachbarn im Urlaub.
3 Eine nett___ Nachbarin! – Ja, das finde ich auch.
4 Das ist aber ein gut___ Lehrer! – Na, es geht.
5 Das war aber ein schön___ Film! – Nein, der war langweilig.
6 Das war wirklich ein köstlich___ Essen! – Danke, das finde ich auch.
7 Ein schrecklich___ Buch! – Schrecklich? Ich finde es toll.
8 Das ist aber ein interessant___ Schauspieler! – Ja, der gefällt mir auch.

5 Machen Sie Komplimente! Ergänzen Sie.

1 Sie haben aber ein schön*es* Gesicht *(n)*!
2 Sie haben aber wunderschön___ Augen!
3 Sie haben aber ein schick___ Auto!
4 Sie haben aber zart___ Hände!
5 Sie haben wirklich ein___ gut___ Geschmack *(m)*!
6 Sie haben aber ein___ nett___ Familie!
7 Sie haben aber ein*en* freundlich___ Nachbarn!
8 Sie haben ein___ interessant___ Arbeit!

6 Ein Traummann? Ergänzen Sie.

groß (2×) ◆ ~~klein~~ ◆ lang ◆ kurz ◆ schmal ◆ breit ◆ dünn

Horst ist unglücklich.

1 Er hat *einen kleinen* Kopf.
2 Er hat ______ Ohren.
3 Er hat ______ Nase.
4 Er hat ______ Gesicht.
5 Er hat ______ Hals.
6 Er hat ______ Schultern.
7 Er hat ______ Beine.
8 Er hat ______ Füße.

7 Traummann gefunden! Ergänzen Sie die Endungen, wenn nötig.

Inge hat ihren Traummann gefunden. Sie beschreibt ihn ihrer Freundin.

1 Er hat wunderschön*e*___, blau*e*___ Augen.
2 Seine Haut ist dunkel*–*___.
3 Seine Haare sind schwarz___ und lockig___.
4 Ich mag nämlich keine glatt___ Haare.
5 Seine Figur ist einfach perfekt___.
6 Ich finde seine breit___ Schultern toll.
7 Er ist ein sportlich___ Typ.
8 Meistens trägt er auch sportlich___ Kleidung.
9 Ich glaube, die ist ziemlich teuer___.
10 Er fährt einen ganz neu___ BMW.
11 Er hat auch eine riesig___ Villa mit Blick aufs Meer.
12 Aber leider hat er auch eine attraktiv___ Freundin.
13 Sie ist jung___, hat eine perfekt___ Figur und blond___, lang___ Haare.

8 Beschreiben Sie Ihren Traummann/Ihre Traumfrau.

______

______

______

______

9 Ergänzen Sie.

Unser neues Baby passt gut in unsere Familie:

1 Es hat d*ie*___ blau*en*___ Augen von Mama,
2 d___ groß___ Hände von Papa,
3 d___ lang___ Nase von Oma,
4 d___ haarlos___ Kopf von Opa,
5 d___ schmal___ Mund von Tante Margot,
6 d___ blass___ Haut von Onkel Rudi,
7 d___ dick___ Beine von Tante Barbara,
8 d___ klein___ Ohren von Onkel Martin und
9 d___ laut___ Stimme von unserer Autohupe.

10 **Lesen Sie die Bildbeschreibung und ergänzen Sie die Adjektiv-Endungen.**

Türkisches Café

Ein rotbraun___ (1) Baumstamm *(m)* zieht sich rechts im Bild nach oben. Grüngelb___ (2) Blätter *(Pl)* formen ein Dach über dem still___ (3) Platz *(m)* vor einem Café. Ein groß___ (4) Blatt *(n)* begrenzt die link___ (5) Seite *(f)* des Bildes.

Neben dem Eingang des Cafés steht ein klein___ (6) rot___ (7) Tisch *(m)*; daran sitzt ein einsam___ (8) Gast *(m)*. Man kann nur seinen Rücken sehen. Er trägt einen grün___ (9) Burnus* *(m)* und einen hellrot___ (10) Turban**.

Auf dem Tisch ist nur Platz für eine klein___ (11), weiß___ (12) Teetasse *(f)* und eine gläsern___ (13) Karaffe *(f)* mit Wasser. Im Vordergrund steht ein gelb___ (14) Stuhl *(m)*. Ein zart___ (15) Rosa *(n)* hat der Künstler für die Markise *(f)* über dem Eingang benutzt. Man kann sie hinter den Blättern kaum sehen.

Das warm___ (16) Ziegelrot *(n)* des Platzes geht in das Café hinein und erscheint in der Tür wie ein orangefarben___ (17) Feuerball *(m)*. Die blau___ (18) Mauern *(Pl)* des Cafés wirken angenehm kühl___ (19). Die Atmosphäre in diesem Bild ist friedlich___ (20) und harmonisch___ (21). Klar___ (22) Formen *(Pl)* und Farben stellen das ruhig___ (23), einfach___ (24) Leben *(n)* einer vergangenen arabischen Welt dar.

* Mantel mit Kapuze der arabischen Beduinen
** Kopfbedeckung der Hindus und Muslime

Malen Sie das Bild mit den Farben im Text aus.

August Macke, geb. am 03. 01. 1887, gest. am 26. 09. 1914, war Mitglied der Künstlervereinigung „Der blaue Reiter" und ein Freund von Franz Marc. Das Bild „Türkisches Café" entstand 1914 nach seiner Reise in Tunesien, die er zusammen mit Paul Klee und Louis Moillet machte.

C Kleiderkauf

11 Schreiben Sie Wortkarten und sortieren Sie die Kleider.

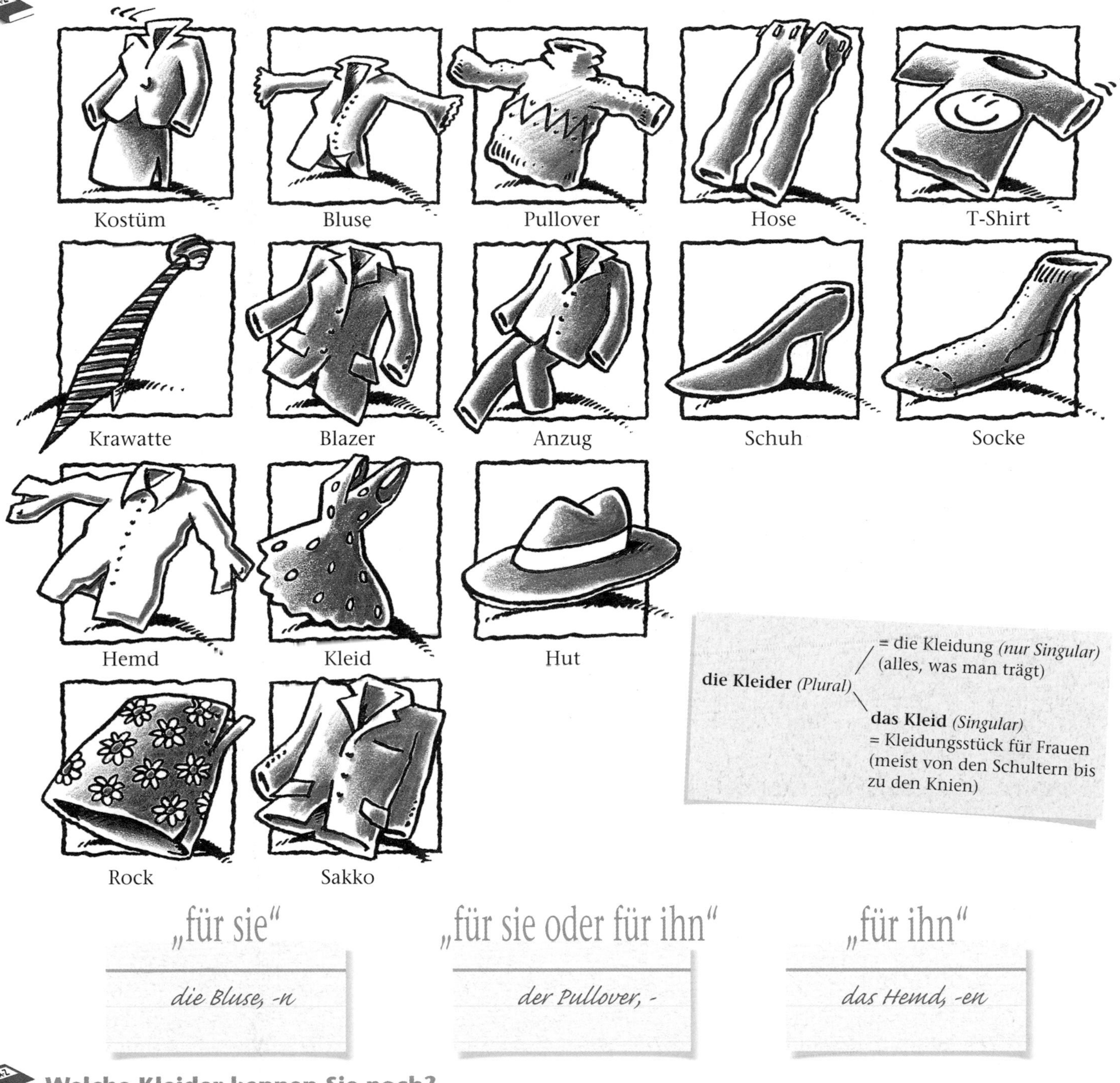

die Kleider *(Plural)*
= die Kleidung *(nur Singular)* (alles, was man trägt)
das Kleid *(Singular)* = Kleidungsstück für Frauen (meist von den Schultern bis zu den Knien)

„für sie"	„für sie oder für ihn"	„für ihn"
die Bluse, -n	*der Pullover, -*	*das Hemd, -en*

Welche Kleider kennen Sie noch?

12 Welche Kleider/Kleidung ziehen Sie wo oder wann an? Schreiben Sie.

In der Freizeit ziehe ich oft T-Shirts an.
Zu Hause trage ich am liebsten …
Zu einer Einladung …
Am Arbeitsplatz …
Im Theater …
…

KURSBUCH C 1–C 4

13 Wohin gehen die Leute? Hören und markieren Sie.

		Dialog 1	Dialog 2
1	zu einer Hochzeit		
2	zu einem Betriebsfest		
3	zu einem Picknick		
4	zu einer Beerdigung		
5	zu einer Geburtstagsparty		

B

C

A

D

E

14 Was passt zusammen? Markieren Sie.

1 Welche Hose soll ich nur anziehen? *c*
2 Welchen Anzug ziehst du denn an?
3 Was für einen (Salat) machst du denn?
4 Was für ein Geschenk hast du besorgt?
5 Was für Bücher liest er wohl gern?

a) Ich dachte an den graublauen und das grüne Hemd.
b) Eine CD von „Badesalz“. Die hat er sich gewünscht.
c) Die schwarze Satinhose oder die braune Leinenhose?
d) Ich glaube, er mag englische Krimis.
e) Vielleicht einen Gurkensalat mit einer Sahnesauce.

Hören Sie noch einmal und vergleichen Sie.

15 Ergänzen Sie.

1 Welch*es*___ T-Shirt findest du schöner? – Das rote hier.
2 Welch_____ Schuhe soll ich bloß nehmen? – Die braunen natürlich!
3 Welch_____ Jacke meinst du? – Die von Tante Clara.
4 Welch_____ Kleid ist denn teurer? – Das italienische, glaube ich.
5 Welch_____ Anzug nimmst du jetzt? – Ich glaube, den schwarzen von Hugo Boss.
6 Welch_____ Jeans soll ich anziehen? – Die neue natürlich!

16 „Was für ein…" oder „welch…"? Ergänzen Sie.

1 *Was für einen* Pullover möchten Sie? – Einen schwarzen oder braunen.
2 ______ Jeans steht mir besser? – Die weiße.
3 ______ Suppe möchtest du? – Eine Tomatensuppe.
4 ______ Typ ist Klaus? – Er ist sportlich und aktiv.
5 ______ Bild findest du schöner? – Das von Picasso.
6 ______ Kleid ziehst du zu deiner Hochzeit an? – Natürlich ein weißes.
7 ______ Brief meinst du? – Den von Claudine.
8 ______ Pizza möchtest du? – Ich nehme die „Pizza Margherita".

17 Ergänzen Sie „welch-" oder „was für ein-" in den Fragen und die passenden Artikel in den Antworten.

1
- ■ *Was für einen* Pullover möchten Sie?
- ● Vor allem *einen* billigen.
- ■ Diese Wollpullover hier sind sehr günstig. ______ Größe haben Sie denn?
- ● 36 oder 38, das kommt darauf an.
- ■ Diese Pullover gibt es in dunkelblau, weinrot und schwarz. ______ Farbe gefällt Ihnen am besten?
- ● Weinrot, das steht mir gut.

2
- ■ Andrea wünscht sich ein Buch zum Geburtstag. ______ Buch soll ich ihr denn kaufen?
- ● Kauf ihr doch ______ Buch über die USA. Sie fährt doch bald in die USA.
- ■ Ach, ich weiß nicht. Neulich hat sie gesagt, sie möchte gern mal einen guten Krimi lesen. ______ Autoren kannst du mir denn da empfehlen?
- ● Ingrid Noll oder Hansjörg Martin. Die finde ich gut.

3
- ■ *Was für ein* Auto hast du dir gekauft?
- ● ______ Volkswagen.
- ■ Hier stehen viele Volkswagen. ______ ist denn nun deiner?
- ● ______ rote da hinten.

4
- ■ ______ Zug möchten Sie nehmen?
- ● ______ um 15.41 Uhr.
- ■ ______ Zug ist das? Ein ICE oder ein Interregio?
- ● Ein ICE.

5
- ■ ______ Urlaub möchtest du gerne machen?
- ● Eine Kreuzfahrt. Ich habe mir extra einen Prospekt über Kreuzfahrten besorgt.
- ■ Und ______ Angebot findest du am interessantesten?
- ● ______ Mittelmeer-Kreuzfahrt von Globe-Tours. Die ist auch nicht so teuer.

KURSBUCH C 5

18 Ergänzen Sie.

Frau Müller will mit ihrem Mann auf eine Party gehen. Sie kann sich nicht entscheiden.

■ Was soll ich bloß anziehen?

■ Das ist zu konservativ.

■ Das ist mir zu extravagant.

■ Die Jeans ist mir zu eng.

■ Der ist doch viel zu dick! Und überhaupt zu langweilig.

■ Das hatte ich schon auf der Party von Susanne an!

■ Also gut, dann ziehe ich eben das schwarze Kleid an. Aber ...?

■ Welche Jacke passt dazu?

● Zieh doch d*en*___ braun*en*___ Rock und d___ weiß___ Bluse an. (1)

● Und d___ rot___ Kostüm? (2) Das sieht doch toll aus!

● Dann d___ blau___ Jeans und d___ hellblau___ T-Shirt. (3)

● Dann zieh doch d___ neu___ Hose und d___ weiß___ Pullover an. (4)

● Und d___ schwarz___ Kleid? (5) Das finde ich sexy.

● Also, weißt du, dann bleiben wir zu Hause!

● Aber ...?

● Also, ich muss mich jetzt umziehen! Ich ziehe mein___ langweilig___, konservativ___, zu dick___ und zu eng___ Anzug an. (6) Du weißt schon! Den, den ich auf Susannes Party anhatte!

19 Hören und antworten Sie.

47-48

Sie wollen ausgehen. Aber was sollen Sie anziehen? Sie stehen vor Ihrem Kleiderschrank und überlegen. Ihre Freundin macht Vorschläge, aber Sie sind unsicher.

	... steht mir nicht	*... kann ich nicht mehr tragen. ... ist ...*	*... steht mir gut. Und was soll ich dazu anziehen?*
♀	Kostüm (blau) Blazer (schwarz)	Kleid (grün) – zu altmodisch Pullover (dunkelgrün) – zu klein	Hose (rot) Pullover (türkisfarben)
♂	Anzug (hellgrau) Sakko (gelb)	Anzug (hellblau) – zu altmodisch Pullover (dunkelrot) – zu eng	Hose (dunkelgrün) Pullover (violett)

Beispiele:

■ *Zieh doch das blaue Kostüm an.*
  ● *Das blaue Kostüm steht mir nicht.*

■ *Das blaue Kostüm steht dir nicht? Na, dann nimm halt das grüne Kleid.*
  ● *Das grüne Kleid kann ich nicht mehr tragen. Das ist zu altmodisch.*

■ *So, das grüne Kleid kannst du nicht mehr tragen. Das ist zu altmodisch. Und was ist mit der roten Hose?*
  ● *Die rote Hose steht mir gut. Und was soll ich dazu anziehen?*

D Typen ...

20 Ergänzen Sie.

Norbert Nörgel findet immer ein „Aber".

1 ■ Schau mal, mein neues Handy.
● Kannst du mit dein*em* neu*en* Handy denn auch Fotos machen?

2 ■ Schau mal, meine neuen Schuhe.
● Schön sehen sie ja aus, aber kannst du mit so spitz____/schmal____ Schuhen auch gut laufen?

3 ■ Schau mal, meine neue Wohnung.
● Sehr schön, aber von dein____ neu____ Wohnung bis zu dein____ neu____ Arbeit ist es sehr weit.

4 ■ Das macht nichts. Ich habe einen neues Auto, das fährt 220!
● Na, hoffentlich stehst du mit dein____ neu____ BMW nicht nur im Stau!

5 ■ Wie findest du meine neue Haarfarbe?
● Oh, schön, aber passt denn deine Kleidung noch zu dein____ neu____ Haarfarbe/zu dies____ kräftig____ Rot?

6 ■ Na ja, ich habe mir auch ein paar neue Sachen gekauft. Schau mal hier, ein neues Kostüm.
● Sehr schön, aber dieses grelle Pink passt nicht zu dein____ neu____ Haarfarbe/zu dein____ rot____ Haaren.

7 ■ Das ist jetzt in. Schau mal, der hellgrüne Anzug ist für dich.
● Oh, schön, aber passt der denn zu dein____ pinkfarben____ Kostüm?/zu mein____ rot____ Schuhen?

8 ■ Wieso nicht? Vielleicht soll ich mich nach ein____ ander____ Mann/Freund umsehen, der nicht immer „aber" sagt.
● Aber ...

21 Ergänzen Sie.

1 Du siehst toll in d*em* neu*en* Kleid aus.
2 Was passt denn zu d_____ gelb_____ Hose?
3 Sie geht mit ihr_____ neu_____ Freund in ein teures Restaurant.
4 Karin fährt zu ihren italienisch_____ Freunden nach Modena.
5 Er fährt meistens mit sein_____ blau_____ BMW zur Arbeit.
6 Alfons wohnt in ein_____ klein_____ Wohnung.
7 Daniel und Max sehen in diesen bunt_____ Hawaiihemden einfach furchtbar aus!
8 Kannst du dir das leisten, in so ein_____ teur_____ Lokal zu essen?
9 Mit d_____ grün_____ Sonnenhut siehst du schrecklich aus.
10 In d_____ meist_____ Fällen sind Yuppies nicht verheiratet.
11 Ich war gestern in ein_____ ganz toll_____ Restaurant.

22 **Vorher – nachher. Ergänzen Sie.**

Klaus kritisiert seinen Vater.

Mensch, Papa, du mit dein*er*___ konservativ___ (1) Kleidung! In dein___ (2) grau___ (3) Anzug mit d___ (4) langweilig___ (5) Krawatte siehst du wirklich wie ein Rentner aus.
Du solltest mal eine sportlich___ (6) Jeans mit ein___ (7) modern___ (8) T-Shirt anziehen und ein Paar bequem___ (9) Turnschuhe.
Geh endlich zum Friseur und ändere dein___ (10) schrecklich___ (11) Frisur. Die grau___ (12) Haare stehen dir nicht. Und dann machst du noch ein___ (13) schick___ (14) Ohrring in dein link___ (15) Ohr.
Und d___ (16) altmodisch___ (17) Bart ist auch furchtbar. Damit siehst du viel älter aus.
Mit dein___ (18) komisch___ (19) Auto kannst du auch keine Frau beeindrucken.
Ach, und was ich vergessen habe: Vielleicht solltest du zuerst in d___ (20) neu___ (21) Fitnessstudio am Marktplatz gehen. Dann siehst du sicher bald zehn Jahre jünger aus!

KURS D

E Zwischen den Zeilen

23 **Welche Nomen und Adjektive passen zusammen? Machen Sie eine Liste.**

Sprüche und Ratschläge

Es gibt vielleicht keine menschliche Vernunft, aber doch ein paar vernünftige Menschen.

Nimm dir freundliche Personen als persönliche Freunde!

Auch ein nützlicher Beruf bringt nicht nur beruflichen Nutzen.

Lieber mal ein fürchterlicher Schreck als ständig schreckliche Furcht!

Lieber ein langweiliger Tag als tägliche Langeweile.

Nomen	*Adjektiv*
die Vernunft	*vernünftig*
der Mensch	*menschlich*

Wörter mit der Endung *-ig*, *-lich* oder *-isch* sind Adjektive. Man kann sie von Nomen ableiten. Dabei werden „a“, „o“ und „u“ oft zu *ä*, *ö* und *ü*.

24 **Ergänzen Sie die passenden Nomen und Adjektive und vergleichen Sie mit dem Wörterbuch.**

farbig	*die Farbe*	das Blut	*blutig*
gefährlich		der Mann	
lustig		der Neid	
schmutzig		der Punkt	
unterschiedlich		der Saft	

25 **Ergänzen Sie passende Nomen oder Adjektive aus Übung 24.**

1 Ein ______ Steak ist oft noch ein bisschen ______ .
2 Frühlingstypen und Wintertypen sollten ______ tragen.
3 Neid ist keine typisch weibliche oder ______ Eigenschaft: Fast alle Menschen sind manchmal ______ .
4 „Ständig kommst du zu spät, nie bist du ______ . Und ich muss immer warten – das finde ich überhaupt nicht ______ .“
5 Zu viel ______ ist ______ : Er ist oft Ursache von Krankheiten.

KURS F 1

F Der Ton macht die Musik

26 Hören und vergleichen Sie.

49

„R" spricht man im Deutschen konsonantisch [r] oder vokalisch [ɐ].

[r]	[ɐ]
rot	Tor
Oh|ren	Ohr
spa|ren	spar|sam
grau	gern

27 Lesen Sie die Wörter und unterstreichen Sie alle „r".

	konsonantisches „r" [r]	vokalisches „r" [ɐ]		konsonantisches „r" [r]	vokalisches „r" [ɐ]
Rock	X		braun		
Nach|bar		X	Fir|ma		
Klei|der			rot		
grün			Pro|blem		
immer			Haa|re		
Haar			war|ten		
hö|ren			fer|tig		
Pul|lo|ver			trau|rig		

50

Konsonantisches oder vokalisches „r"? Hören und markieren Sie.

28 Ergänzen Sie die Regeln und die Beispielwörter.

! Am Wort- oder Silben-Anfang spricht man das ______________ „r" [r]:
Rock, ______________

Am Wort- oder Silben-Ende spricht man das ______________ „r" [ɐ] (= „r" klingt wie „a"):
Nachbar, ______________

29 Üben Sie das konsonantische „r" [r].

51

Nehmen Sie ein Glas Wasser und „gurgeln" Sie.

Dann „gurgeln" Sie bitte ohne Wasser und sprechen ganz langsam:
rrrosa – rrosa – rosa,
rrrot – rrot – rot,
rosarote Röcke,
grasgrüne Krawatten

Sprechen Sie erst ganz langsam und dann immer schneller und leiser:
rosarote Röcke und grasgrüne Krawatten, rosarote Röcke und grasgrüne Krawatten …

Oder sagen Sie „ach" [x]. Fügen Sie den Stimmton hinzu – [x] wird zu [r]:
Sagen Sie: Ach | Rita   nach | Rom   Nach|richt   einfach | richtig

30 **Wo hört man das konsonantische „r"? Markieren Sie.**

Paar – Paare ◆ Monitor – Monitore ◆ Tastatur – Tastaturen ◆ Formular – Formulare ◆ Tür – Türen ◆ Fahrer – Fahrerin ◆ Mechaniker – Mechanikerin ◆ Friseur – Friseurin ◆ Schauspieler – Schauspielerin ◆ studieren – studiert ◆ fahre – fährst ◆ spart – sparen ◆ erklären – erklärst ◆ notiert – notieren ◆ schwer – schwerer – die schwerste ◆ teuer – teurer – der teuerste ◆ klar – klarer – am klarsten

52 **Hören Sie, sprechen Sie nach und vergleichen Sie.**

31 **Hören Sie und sprechen Sie nach.**

53

im Erdgeschoss ◆ dritter Stock ◆ vierte Etage ◆ bei der Herrenmode ◆ ein grauer Pullover ◆ ein rotes Kleid ◆ ein schwarzer Rock ◆ blaugrüne Krawatten ◆ braune Strümpfe ◆ ein orangefarbener Blazer ◆ traurige Farben ◆ Frühlingsfarben ◆ für eine Bewerbung ◆ für die Freizeit ◆ für die Arbeit ◆ fürs Büro ◆ die richtige Größe ◆ wirkt sehr interessant ◆ zu groß ◆ zu kurz ◆ zu teuer ◆ eine Nummer kleiner ◆ andere Modelle ◆ preiswerte Sonderangebote

Üben Sie zu zweit und machen Sie kleine Dialoge.

Guten Tag. Ich suche Krawatten.
Krawatten sind im Erdgeschoss.
Ich suche einen orangefarbenen Blazer.
Tut mir Leid, wir haben nur schwarze, graue und grüne Blazer.
…

32 **Hören Sie und sprechen Sie nach.**

54

Grau und schwarz sind Problemfarben für Herbsttypen.
Herbsttypen brauchen warme Farben!

Teure Kleider brauchen teure Kleiderschränke
und teure Kleiderschränke brauchen teure Kleider.

Graugrüne Strümpfe zu rotbraunen Röcken
oder rotbraune Strümpfe zu graugrünen Röcken?

Von Februar bis April verkaufen wir farbenfrohe Winterkleider
vierunddreißig Prozent billiger.

Fröhliche Frühlingsfarben bringen frisches Leben
in Ihre vier Wände!

Wählen Sie einen „Zungenbrecher", lernen Sie ihn auswendig und üben Sie „Schnellsprechen".

Testen Sie sich!

Was ist richtig: a, b oder c? Markieren Sie bitte.

Beispiel:
Wie heißen Sie?
Mein Name ________ Schneider.
- [ ] a) hat
- [x] b) ist
- [ ] c) heißt

1 ● Was ist Ihre Lieblingsfarbe?
■ Ich ________ Gelb besonders gern, weil es so hell und freundlich ist.
- [ ] a) möchte
- [ ] b) mag
- [ ] c) will

2 ● Und was ist Ihre Lieblingsfarbe?
■ Ich finde Rot schön. Rot ist die Farbe ________ Liebe.
- [ ] a) der
- [ ] b) die
- [ ] c) das

3 ● Welche Farben ________ dieser Frau?
■ Ich finde Orange steht ihr sehr gut.
- [ ] a) passt zu
- [ ] b) passen bei
- [ ] c) passen zu

4 ● Was ist denn ________ den Wintertyp?
■ Ich glaube, dunkle Haare und dunkle Augen.
- [ ] a) typisch für
- [ ] b) typisch bei
- [ ] c) stehen

5 ● Ich glaube, du bist ein Herbsttyp. Dir steht ein ________ Orange sehr gut.
■ Ja, meinst du?
- [ ] a) leuchtender
- [ ] b) leuchtende
- [ ] c) leuchtendes

6 ● Ich trage gern ________ Brauntöne.
■ Dann bist du ein Wintertyp.
- [ ] a) dunkle
- [ ] b) dunkler
- [ ] c) ein dunkles

7 ● Ich suche ________ Rock.
■ Ich zeige Ihnen gern ein paar Modelle.
- [ ] a) eine dunkelgrüne
- [ ] b) einen dunkelgrünen
- [ ] c) ein dunkelgrünes

8 ● ________ Größe haben Sie denn?
■ 40.
- [ ] a) Was für ein
- [ ] b) Welche
- [ ] c) Welches

9 ● Haben Sie zu dem Rock vielleicht auch ________ Bluse?
■ Ja, natürlich.
- [ ] a) eine passende
- [ ] b) ein passendes
- [ ] c) einen passenden

10 ● ________ Bluse möchten Sie denn?
■ Eine elegante Seidenbluse.
- [ ] a) Was für eine
- [ ] b) Welche
- [ ] c) Wie

11 ● Was sind denn Yuppies?
■ Yuppies wohnen meistens in ________ Penthouse.
- [ ] a) einem teuren
- [ ] b) einen teuren
- [ ] c) ein teures

12 ● Rentner haben immer Zeit, auch an ________ Werktagen.
■ Wieso denn?
- [ ] a) gewöhnlichen
- [ ] b) gewöhnliche
- [ ] c) gewöhnlicher

13 ● Das sind doch alles Klischees.
■ Ja, aber in den meisten ________ stimmen sie auch.
- [ ] a) Problemen
- [ ] b) Tabus
- [ ] c) Fällen

14 ● Warum siehst du nur immer so ________? Du bekommst den Job bestimmt.
■ Meinst du?
- [ ] a) gelb
- [ ] b) schwarz
- [ ] c) rot

15 ● Wo ist denn Herr Peters?
■ Ich glaube, der macht mal wieder ________.
- [ ] a) grün
- [ ] b) weiß
- [ ] c) blau

Selbstkontrolle

1 Kleidung und Farben

Was ziehen Sie am liebsten an?

Am Arbeitsplatz: ______

Zu Hause: ______

Im Theater: ______

Was sind Ihre Lieblingsfarben? Warum?

______

______

Sie stehen morgens vor Ihrem Kleiderschrank. Was ziehen Sie an?

______

______

2 „Welch-“ und „Was für ...“?

______ Hose suchen Sie? Eine einfache oder eine elegante?

______ Blazer gefällt dir besser? Der grüne oder der blaue?

______ Jahreszeitentyp sind Sie? ______

______ Jacken sind im Moment „in“? – Kurze, dunkle.

3 Im Kaufhaus

Sie suchen eine Hose und gehen in ein Kaufhaus. Was sagen Sie?

______

Der Verkäufer fragt Sie: Welche Größe haben Sie? Was antworten Sie?

______

Er fragt: Und in welcher Farbe möchten Sie die Hose? Was antworten Sie?

______

Ergebnis:

Ich kann ...	✔✔	✔	–
1 über Kleidung und Farben sprechen: – sagen, welche Kleidung ich zu welchem Anlass anziehe – meine Lieblingsfarben benennen			
2 etwas auswählen oder etwas zur Auswahl vorschlagen			
3 im Geschäft meine Wünsche äußern: Farbe, Größe ...			
Außerdem kann ich:			
– über Typen sprechen und Menschen beschreiben			
– Redewendungen mit Farben verstehen			

Lernwortschatz

Kursiv gedruckte Wörter sind Wortschatz der Niveaustufe B1. Diese Wörter müssen Sie nicht für die Prüfung **Start Deutsch 2 / Start Deutsch 2z** lernen.

Nomen

Anzug der, ¨-e
Bluse die, -n
Blut das *(nur Singular)*
Briefkasten der, ¨-
Fall der, ¨-e
Gefühl das, -e
Gras das, ¨-er
Größe die, -n
Himmel der (nur Singular)
Hochzeit die, -en
Hoffnung die, -en
Hose die, -n
Jeans die, -
Kleider *(nur Plural)*
Kleidung die
Krankenwagen der, -
Kraft die, ¨-e
Liebe die *(nur Singular)*
Lokal das, -e
Mode die, -n
Pech das (nur Singular)
Pflanze die, -n
Picknick das, -s
Politiker der, -
Pullover der, -
Programm das, -e
Rock der, ¨-e
Rundfunk der (nur Singular)
Schaden der, ¨-
Schuh der, -e
Schlüssel der, -
Tod der (nur Singular)
Tradition die, -en
T-Shirt das, -s
Typ der, -en
Verkehrsmittel das, -
Wand die, ¨-e
Wärme die (nur Singular)
Wahrheit die, -en
Wissen das *(nur Singular)*
Zeichnung die, -en

Verben

sich ärgern
anbieten + DAT + AKK, hat angeboten
ankommen + auf AKK
aussuchen + AKK
denken + an AKK, hat gedacht
empfehlen + DAT + AKK, hat empfohlen
gewinnen + AKK, hat gewonnen
senden + DAT + AKK, hat gesandt
stattfinden hat stattgefunden
sich verändern, hat sich verändert

Adjektive

allgemein		hell	
arm		intelligent	
ausgezeichnet		*katholisch*	
blass		*klassisch*	
blau		*künstlich*	
dunkel		*öffentlich*	
eng		orange	
gelb		schmutzig	
gewöhnlich		schwarz	
glatt		weit	
grau		weiß	
hart		*wütend*	

andere Wörter / Ausdrücke

in Braun		Das kommt darauf an!	

Lösungsschlüssel

Lektion 1

1 mit einem Lebenspartner zusammen. / allein. / In einer Wohngemeinschaft / im Wohnheim

2 **3** man lernt einen Beruf (meistens drei Jahre) **4** allein leben können, niemand fragen müssen **5** was man im Monat für eine Wohnung bezahlen muss **6** „Ja!" – „Nein!" – „Ja!" – „Nein!" … **7** die Unordnung, das Durcheinander **8** morgen, nächstes Jahr, in fünf Jahren … **9** ohne Arbeit **10** eine andere Möglichkeit **11** die Zeit an der Universität **12** sie oder er macht eine Lehre
Wortakzent: Miete, Chaos, Zukunft, Studium, Lehrling

4 **2** obwohl sie gerne mehr Zeit für ihre Kinder haben möchte. **3** obwohl sie Ballspiele nicht mag. **4** obwohl sie eigentlich keine Zeit dafür hat. **5** obwohl sie wenig Geld verdient. **6** obwohl er Angst vor dem Fliegen hat.

6 **2** Dean will ein neues Auto kaufen, obwohl er wenig Geld hat. **3** Vera lernt schnell Deutsch, weil sie in Deutschland lebt und arbeitet. **4** Thorsten und ich haben oft Streit, obwohl wir gute Freunde sind. **5** Herr Kleinschmidt ist Taxifahrer, obwohl er nicht gut Autofahren kann. **6** Angela besucht oft ihre Familie in Lissabon, weil sie billig fliegen kann. **7** Ich mache viele Fehler, weil ich erst vier Monate Deutsch lerne. **8** Du machst auch viele Fehler, obwohl du schon lange Deutsch lernst. **9** Thomas kauft einen gebrauchten Computer, weil er kein Geld hat.

9 *von links nach rechts:* B, A, D, C

10 **A** musste, war **B** hatten, waren, sollte, musste, durfte, musste, hatte, wurden, war **C** wollte, konnte, waren, sollte, musste, wurde, war **D** war, musste, durfte, musste, hatte, wollte

11 *vgl. Grammatik § § 10, 12*

12 letztes Jahr, früher, vor zwei Jahren, damals, in den 70er-Jahren, gestern

13 *richtige Verben:* **1** muss **2** konnte **3** durfte **4** will **5** konnte **6** muss **7** musste **8** wollten **9** wollen

15 **1** Du solltest doch schon um sechs Uhr zu Hause sein. **2** Konntest du nicht anrufen? **3** Tut mir Leid, aber es ist noch nicht fertig. **4** Ich musste Peter noch bei den Hausaufgaben helfen. **5** Eigentlich schon, aber wir konnten keine Tickets mehr bekommen. **6** Eigentlich schon, aber der Meister war die ganze Woche krank. **7** Ich möchte mein Auto abholen. **8** Aber es sollte doch heute fertig sein. **9** Wolltet ihr nicht heute nach Berlin fliegen?

16 **1** ● Du solltest doch schon um sechs Uhr zu Hause sein!
■ Ich musste Peter noch bei den Hausaufgaben helfen.
● Konntest du nicht anrufen?
2 ● Ich möchte mein Auto abholen.
■ Tut mir Leid, aber es ist noch nicht fertig.
● Aber es sollte doch heute fertig sein!
■ Eigentlich schon, aber der Meister war die ganze Woche krank.
3 ● Wolltet ihr nicht heute nach Berlin fliegen?
■ Eigentlich schon, aber wir konnten keine Tickets mehr bekommen

17 **A 2** Weil ich müde war **3** Weil ich die Nacht davor nicht schlafen konnte. **4** konntest du nicht schlafen? Weil meine Nachbarn laut waren. **5** waren sie laut? Weil sie Gäste hatten. **6** hatten sie Gäste? Weil meine Nachbarin Geburtstag hatte.
B 2 Weil ich gestern lange arbeiten musste. **3** musstest du lange arbeiten? Weil ich viele Briefe schreiben musste. **4** musstest du viele Briefe schreiben? Weil meine Kollegin eine Erkältung hatte. **5** hatte deine Kollegin eine Erkältung? Weil sie am Wochenende im Schwimmbad war.

19 **1** e, **2** f, **3** b, **4** c, **5** d, **6** a

22 Bank, denken, England, Enkel, entlang, Franken, Frühling, Gang, Geschenk, Hunger, Inge, jung, klingeln, krank, langsam, links, Onkel, Punkt, schenken, schwanger, singen, trinken, Werbung, Zeitung

Test: **1** c) **2** a) **3** b) **4** b) **5** a) **6** a) **7** b) **8** c) **9** a) **10** b) **11** a) **12** b) **13** c) **14** a) **15** c)

Lektion 2

1 **2** d, **3** h, **4** b, **5** a, **6** c, **7** e, **8** f

2 **2** machen **3** liege **4** ausgeben **5** haben **6** treiben **7** besichtigen **8** fahren

4 **4, 5, 7, 6, 2, 1**

5 **2** fliegen **3** ankommen **4** fahren **5** besuchen **6** reisen

6 **1** Wir haben meistens am Strand in der Sonne gelegen. **2** Manchmal haben wir Tischtennis und Volleyball gespielt. **3** Wir wollten auch viele Ausflüge machen. **4** Aber unser Auto ist kaputtgegangen. **5** Wir haben einmal einen Tagesausflug mit dem Bus nach Florenz gemacht. **6** Dort haben wir eine Stadtrundfahrt gemacht. **7** Wir haben viele Sehenswürdigkeiten besichtigt. **8** Dann haben wir einen Stadtbummel gemacht. **9** Wir haben Souvenirs gekauft. **10** In Florenz haben wir gut gegessen und viel Wein getrunken.

8 **2** abgeholt **3** angekommen **4** gegessen **5** gewartet **6** gefahren **7** gegangen **8** eingeschlafen **9** eingeladen **10** gegessen **11** getrunken **12** gelegen **13** eingekauft **14** gegangen

10 **1** fliegen, fallen, gehen, kommen, umsteigen, umziehen **2** losgehen, aufstehen, einschlafen, erscheinen

11 mit *haben*: einkaufen, schlafen, verpassen, abholen
mit *sein*: bleiben, aufwachen, einschlafen, umziehen, erscheinen, aufstehen, fahren, losfahren

13 haben gewartet, sind abgeflogen, haben verpasst, sind angekommen, haben gearbeitet, sind zurückgeflogen, haben gemacht, sind gefallen, haben geschlafen, bin ausgezogen, habe gefunden, bin umgezogen, bin gefahren, habe gegessen, bin gegangen

14 **3** die **10** das **2** das **4** der **9** die **7** der **8** die **1** der **5** die **11** die **6** der

15 **1** das Reisegepäck **2** die Europareise **3** der Reisepreis **4** der Reiseleiter/die Reiseleiterin **5** die Weltreise **6** die Reisegepäckversicherung **7** die Reisepläne

16 **1** a **2** b **3** a **4** b

17 **2** Einwohner **3** Wahrzeichen **4** Bundesländer **5** Spezialität **6** See **7** Industriegebiet **8** Wirtschaftszweig

18 **2** Welches – g) **3** Welche – a) **4** Welche – f) **5** Welche – h) **6** welcher – b) **7** welchem – e) **8** Welcher – c)

19 *vgl. Karten im Umschlag*

20 *Waagerecht:* **7** Welcher Berg **9** Welche Stadt **10** Welche Stadt **12** Welcher See **16** Welches Bundesland **17** Welche Stadt
Senkrecht: **1** Welches Bundesland **2** Welche Stadt **3** Welches Bundesland **4** Welches Bundesland **5** Welche Stadt

6 Welcher Berg **8** Welcher See **11** Welche Stadt **13** Welche Stadt **14** Welche Stadt

21 3 – 7 – 1 – 3 – 4 – 6 – 2 – 5 – 5 – 7 – 4 – 6 – 7 – 5 – 8
b das Flugzeug repariert. **c** Sie ist vom Flughafen zum Hotel 8 Stunden mit dem Bus gefahren. **d+e** Das Wetter ist schlecht gewesen (war schlecht). Es hat nur geregnet. **f** hat sie die ganze Nacht Diskomusik gehört. **g** Sie hat nicht geschlafen. **h** Sie ist krank geworden. **i+j** Sie hat nur Tee getrunken. Sie hat mit ihrer Mutter telefoniert. **k** Aber schließlich ist das Wetter doch noch schön geworden. **l** Sie hat Beach-Volleyball gespielt. **m** Sie hat nette Leute kennen gelernt. **n** Sie hat viel diskutiert. Sie hat viele Cocktails getrunken. **o** Sie hat einen tollen Sonnenuntergang fotografiert.

23 [s]: i**s**t, au**ß**erdem, alle**s**, Prei**s**, Di**s**ko, Gla**s**, Ta**ss**e, etwa**s**, drei**ß**ig, Pä**ss**e, hei**ß**en, Bu**s**, bi**s**, Schlu**ss** [z]: **S**onntag, **s**ehr, gün**s**tig, **s**uper, Mu**s**ik, **S**aft, **S**uppe, Kä**s**e, rei**s**en, **s**ofort.
„ß" = [s]: außerdem; „s" am Wortanfang = [z]: Suppe, Saft; „s" am Wortende = [s]: Bus, bis; „s" im Wort = am Silbenanfang = [z]: günstig / am Silbenende = [s]: Glas

24 [z] al**s**o, **s**icher, **s**echs, **S**achen, be**s**uchen, **s**ehen, **S**üden, Kur**s**e, Glä**s**er, **S**amstag, **s**elten, lei**s**e, le**s**en, **S**onne, Rei**s**e, **s**üß, Pau**s**e, **S**ofa

25 [ʃ] **Sch**ule, Men**sch**, Fla**sch**e, zwi**sch**en, **sch**enken, fal**sch**, **Sp**ort, **sp**ät, **sp**ielen, **sp**annend, **sp**rechen, **Sp**anisch, Bei**sp**iel, Ge**sp**räch, Aus**sp**rache, Ver**sp**ätung, **St**reit, **St**unde, **st**ill, **St**ock, **st**ark, **St**ück, ver**st**eht, be**st**immt, an**st**rengend, **Sp**rech**st**unde, Herbst**sp**aziergang, Gast**sp**iel, **Sch**au**sp**ieler
„sch" = [ʃ]; „sp" am Wort- oder Silbenanfang = [ʃp]: Sport, Gastspiel; „st" am Wort- oder Silbenanfang = [ʃt]: Stunde, anstrengend.

Test: **1** a) **2** a) **3** c) **4** b) **5** c) **6** a) **7** c) **8** a) **9** a) **10** b) **11** c) **12** a) **13** b) **14** c) **15** b)

Lektion 3

2 **1** Busen **2** Hand **5** Auge **6** Rücken **7** Mund **8** Knie **9** Arm **10** Fuß **11** Nase **12** Kopf **13** Ohr

3 **2** Grippe **3** Allergie **4** Übergewicht **5** Rückenschmerzen **6** Diabetes **7** Bauchschmerzen

4 **1** müde sein/werden **2** krank sein/werden **3** gesund sein/werden **4** Kopfschmerzen haben **5** Tabletten (ein)nehmen **6** Bauchschmerzen haben **7** Rückenschmerzen haben **8** Tropfen (ein)nehmen **9** Medikamente (ein)nehmen **10** zu dick sein/werden **11** hohen Blutdruck haben **12** eine Erkältung haben **13** Übergewicht haben

8 dick, dicker, am dicksten, dickste;
langsam, langsamer, am langsamsten, langsamste;
schlimm, schlimmer, am schlimmsten, schlimmste;
schnell, schneller, am schnellsten, schnellste;
schön, schöner, am schönsten, schönste;
sparsam, sparsamer, am sparsamsten, sparsamste;
wenig, weniger, am wenigsten, wenigste;
alt, älter, am ältesten, älteste;
groß, größer, am größten, größte;
lang, länger, am längsten, längste;
warm, wärmer, am wärmsten, wärmste;
gern, lieber, am liebsten, liebste;
gut, besser, am besten, beste;
teuer, teurer, am teuersten, teuerste;
viel, mehr, am meisten, meiste

9 **2** lieber **3** weniger **4** gesünder **5** sparsamer **6** bequemer **7** wärmer **8** schneller

10 **2** jünger **3** interessanter **4** weniger **5** lieber **6** dicker

13 **1** am liebsten **2** am besten **3** am gesündesten **4** am schnellsten **5** am billigsten **6** am schönsten **7** am attraktivsten **8** am sympathischsten

14 **1** teuerste **2** größte **3** größte **4** wertvollste **5** bekannteste **6** meisten **7** jüngste **8** erfolgreichste

15 **1** Also ich muss weiterarbeiten. Ich kann es mir nicht leisten, auch nur einen Tag zu Hause zu bleiben. Deshalb nehme ich Tabletten, wenn ich mich mal schlecht fühle, und dann geht es weiter im Text.
2 Da darf ich nicht mit meinen Freunden spielen und muss im Bett bleiben, aber ich muss nicht in die Schule gehen. Und alle sind ganz lieb zu mir. Und ich kriege immer Pfannkuchen und Eis und alles, was ich gern mag.
3 Ich gehe sofort zum Arzt, und dann lege ich mich ins Bett und schlafe mich gesund.

16 **2** g **3** e **4** b **5** a **6** d **7** f **8** c

18 **2** du vorher dein Zimmer aufräumst **3** ich fliegen muss **4** die Karten nicht zu teuer sind **5** ich sehr krank bin und arbeiten muss **6** ich mit der Übung/mit den Hausaufgaben fertig bin

19 Kopf, Körper, Arme, Beine, Bein, Rücken, Magen, Herz

21 **4** krank – die Krankheit **5** ähnlich – die Ähnlichkeit **6** gesund – die Gesundheit **7** schwierig – die Schwierigkeit **8** pünklich – die Pünktlichkeit

22 **1** die Betonung **2** die Bezahlung **3** die Lieferung **4** die Lösung **5** die Übung **6** die Wohnung

23 **1** Freundlichkeit **2** Pünktlichkeit **3** Ähnlichkeit **4** Gesundheit **5** Schönheit **6** Krankheit **7** Wohnung, Unabhängigkeit **8** Schwierigkeiten **9** Betonung **10** Die Lieferung, Bestellung, Bezahlung **11** Lösungen, Übungen

25 **[x]**: machen, lachen, Koch, Woche, suchen, Kuchen, Bauch, brauchen **[ç]**: Licht, richtig, König, sprechen, Würstchen, Gespräch, Griechenland, möchten, Küche, Bäuche, gleich, euch, Brötchen, manchmal, Milch, durch.
1 [ç] **2** a, o, u; au **3** [ç] **4** [ç]

26 doch, nach, rauchen, Sachen, Mittwoch, besuchen, Schachtel

29 **2** mit **3** aus **4** ohne **5** mit **6** aus **7** mit

30 **2** e **3** c **4** d **5** b **6** a **7** g

Test: **1** b) **2** c) **3** b) **4** a) **5** c) **6** b) **7** a) **8** c) **9** b) **10** a) **11** b) **12** c) **13** a) **14** c) **15** b)

Lektion 4

1 +: Liebe, Glaube, Fantasie, Hoffnung, Ruhe, Tradition, Energie, Wärme, Treue, Aktivität.
–: Neid, Revolution, Nervosität, Fernweh, Aberglaube, Angst, Gefahr, Trauer, Kälte
Wortakzent: Revolution, Nervosität, Fantasie, Tradition, Energie, Aktualität

2 *Waagerecht:* **2** bunt **6** grau **7** dunkelbraun **8** violett **10** grün **11** weiß;
Senkrecht: **1** rot **2** blau **3** schwarz **4** orange **5** gelb **9** türkis

3 *Haare:* lockig, schwarz, blond, rot, grau, glatt, kraus
Augen: graugrün, braun, blau, schwarz, grün
Haut/Teint: hell, dunkel, blass, mit Sommersprossen

4 **2** es **3** e **4** er **5** er **6** es **7** es **8** er

5 **2** wunderschöne **3** schickes **4** zarte **5** einen guten **6** eine nette **7** freundlichen **8** eine interessante
6 **2** große **3** eine lange **4** ein schmales **5** einen kurzen **6** breite **7** dünne **8** große
7 **3** schwarz und lockig **4** glatten **5** perfekt **6** breiten **7** sportlicher **8** sportliche **9** teuer **10** neuen **11** riesige **12** attraktive **13** jung, perfekte, blonde, lange
9 **2** die großen **3** die lange **4** den haarlosen **5** den schmalen **6** die blasse **7** die dicken **8** die kleinen **9** die laute
10 **1** rotbrauner **2** Grüngelbe **3** stillen **4** großes **5** linke **6** kleiner **7** roter **8** einsamer **9** grünen **10** hellroten **11** kleine **12** weiße **13** gläserne **14** gelber **15** zartes **16** warme **17** orangefarbener **18** blauen **19** kühl **20** friedlich **21** harmonisch **22** Klare **23** ruhige **24** einfache
11 *für sie:* Kostüm, Bluse, Pullover, Hose, T-Shirt, Blazer, Schuh, Socke, Kleid, Hut, Rock
für sie oder für ihn: Pullover, Hose, T-Shirt, Schuh, Socke, Hut
für ihn: Pullover, Hose, T-Shirt, Krawatte, Anzug, Schuh, Socke, Hemd, Hut, Sakko
13 **A** 3 **B** 4 **C** 5 **D** 1 **E** 2
1 zu einer Hochzeit **2** zu einer Geburtstagsparty
14 **2** a **3** e **4** b **5** d
15 **2** Welche **3** Welche **4** Welches **5** Welchen **6** Welche
16 **2** Welche **3** Was für eine **4** Was für ein **5** Welches **6** Was für ein **7** Welchen **8** Welche
17 **1** Welche, Welche **2** Was für ein, ein, Welche **3** Einen, Welcher, Der **4** Welchen, Den, Was für ein **5** Was für einen, welches, Die
18 **1** die weiße **2** das rote **3** die blaue, das hellblaue **4** die neue, den weißen **5** das schwarze **6** meinen langweiligen, konservativen, dicken, engen
20 **2** spitzen/schmalen **3** deiner neuen, deiner neuen **4** deinem neuen **5** deiner neuen, diesem kräftigen **6** deiner neuen, deinen roten **7** deinem pinkfarbenen, meinen roten **8** einem anderen
21 **2** der gelben **3** ihrem neuen **4** italienischen **5** seinem blauen **6** einer kleinen **7** bunten **8** einem teuren **9** dem grünen **10** den meisten **11** einem ganz tollen
22 **1** konservativen **2** deinem **3** grauen **4** der **5** langweiligen **6** sportliche **7** einem **8** modernen **9** bequeme **10** deine **11** schreckliche **12** grauen **13** einen **14** schicken **15** linkes **16** der **17** altmodische **18** deinem **19** komischen **20** das **21** neue
23 die Person – persönlich, der Freund – freundlich, der Beruf – beruflich, der Nutzen – nützlich, der Schreck – schrecklich, die Furcht – fürchterlich, der Tag – täglich, die Langeweile – langweilig
24 die Gefahr, die Lust, der Schmutz, der Unterschied, männlich, neidisch, pünktlich, saftig
25 **1** saftiges, blutig **2** Farben **3** männliche, neidisch **4** pünktlich, lustig **5** Schmutz, gefährlich
27 **[r]** grün, hören, braun, Firma, rot, Problem, Haare, traurig
[ɐ] Kleider, immer, Haar, Pullover, warten, fertig
28 konsonantische (s. 27), vokalische (s. 27)
Test: **1** b) **2** a) **3** c) **4** a) **5** c) **6** a) **7** b) **8** b) **9** a) **10** a) **11** a) **12** a) **13** c) **14** b) **15** c)

Grammatik

Seite 123–151

Übersicht

I Der Laut

§ 1 Das Alphabet
§ 2 Die Vokale, Umlaute und Diphthonge
§ 3 Die Konsonanten und Konsonantenverbindungen
§ 4 Der Wortakzent

II Das Wort

Das Verb

§ 5 Der Infinitiv = die Grundform des Verbs
§ 6 Die Konjugation im Präsens
§ 7 Unregelmäßige Verben im Präsens
§ 8 Trennbare und nicht-trennbare Verben
§ 9 Der Imperativ
§ 10 Die Modalverben
§ 11 Das Perfekt
§ 12 Das Präteritum
§ 13 Das Verb und seine Ergänzungen

Das Nomen

§ 14 Das Nomen und der Artikel
§ 15 Das Nomen im Singular und Plural
§ 16 Die Kasus

Die Artikelwörter und Pronomen

§ 17 Die Personalpronomen
§ 18 Die Possessiv-Artikel
§ 19 Die Artikel als Pronomen

Die Adjektive

§ 20 Das Adjektiv im prädikativen Gebrauch
§ 21 Die Deklination der Adjektive
§ 22 Die Steigerung der Adjektive

Die Adverbien

§ 23 Zeit-, Häufigkeits- und Ortsangaben

Die Präpositionen

§ 24 Die wichtigsten Präpositionen
§ 25 Die Präpositionen – Bedeutung
§ 26 Die Präpositionen – Kurzformen

Die Konjunktionen

§ 27 und / oder / aber
§ 28 wenn / obwohl / weil

Die Modalpartikeln

§ 29 Die Bedeutungen der Modalpartikeln

Die Zahlen

§ 30 Die Kardinalzahlen
§ 31 Die Ordinalzahlen
§ 32 Die Zahlwörter
§ 33 Datum und Uhrzeit

Die Wortbildung

§ 34 Komposita
§ 35 Vorsilben und Nachsilben

III Der Satz

§ 36 Der Aussagesatz
§ 37 Der Fragesatz
§ 38 Der Imperativ-Satz
§ 39 Die Satzteile
§ 40 Das Satzgefüge

I Der Laut

§ 1 Das Alphabet

Aa [a:] Bb [be:] Cc [tse:] Dd [de:] Ee [e:] Ff [ɛf] Gg [ge:]
Hh [ha:] Ii [i:] Jj [jɔt] Kk [ka:] Ll [ɛl] Mm [ɛm] Nn [ɛn]
Oo [o:] Pp [pe:] Qq [ku:] Rr [ɛr] Ss [ɛs] Tt [te:] Uu [u:]
Vv [fao] Ww [ve:] Xx [iks] Yy [ypsilɔn] Zz [tset]

Umlaute: Ää [ɛ:] Öö [ø:] Üü [y:]

Diphthonge: Ei/ei [ai] Au/au [ao] Eu/eu/Äu/äu [oi]

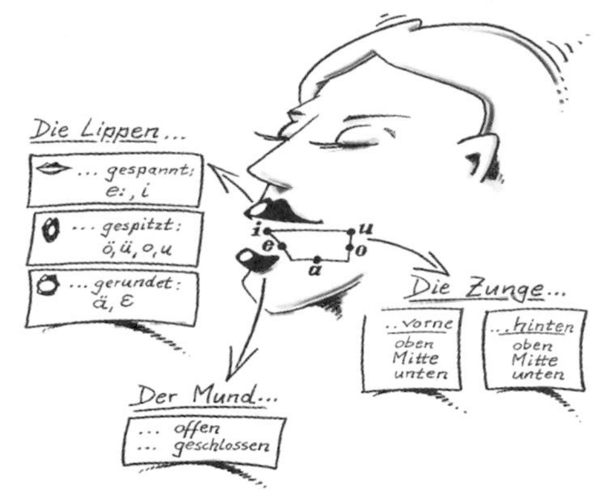

[e:] bedeutet lange sprechen!

§ 2 Die Vokale, Umlaute und Diphthonge

schreiben:	sprechen:	Beispiel:
a	[a]	dann, Stadt
a, aa, ah	[a:]	Name, Paar, Fahrer
e	[ɛ]	kennen, Adresse
	[ə]	kennen, Adresse
e, ee, eh	[e:]	den, Tee, nehmen
i	[ɪ]	Bild, ist, bitte
i, ie, ich	[i:]	gibt, Spiel, ihm
ie	[jə]	Familie, italien
o	[ɔ]	doch, von, kommen
o, oo, oh	[o:]	Brot, Zoo, wohnen
u	[ʊ]	Gruppe, hundert
u, uh	[u:]	gut, Stuhl
y	[y]	Gymnastik, System

Umlaute		
ä	[ɛ]	Gäste, Länder
ä, äh	[ɛ:]	spät, wählen
ö	[œ]	Töpfe, können
ö, öh	[ø]	schön, fröhlich
ü	[y]	Stück, Erdnüsse
ü, üh	[y:]	üben, Stühle

Diphthonge		
ei, ai	[ai]	Weißwein, Mai
eu, äu	[ɔy]	teuer, Häuser
au	[aʊ]	Kaufhaus, laut

§ 3 Die Konsonanten und Konsonantenverbindungen

Konsonanten		
b*, bb	[b]	Bier, Hobby
d*	[d]	denn, einladen
f, ff	[f]	Freundin, Koffer
g*	[g]	Gruppe, Frage
h	[h]	Haushalt, hallo
j	[j]	Jahr, jetzt
k, ck	[k]	Küche, Zucker
l, ll	[l]	Lampe, alle
m, mm	[m]	mehr, Kaugummi
n, nn	[n]	neun, kennen
p, pp	[p]	Papiere, Suppe
r, rr, rh	[r]	Büro, Gitarre, Rhythmus
s, ss	[s]	Eis, Adresse
	[z]	Sofa, Gläser
t, tt, th	[t]	Titel, bitte, Methode
v	[f]	verheiratet, Dativ
	[v]	Vera, Verb, Interview
w	[v]	Wasser, Gewürze
x	[ks]	Infobox, Text
z	[ts]	Zettel, zwanzig

*am Wortende / am Silbenende		
-b	[p]	Urlaub, Schreibtisch
-d, -dt	[t]	Fahrrad, Stadt
-g	[k]	Dialog, Tag
-ig	[ç]	günstig, ledig
-er	[ɐ]	Mutter, vergleichen

Konsonanten in Wörtern aus anderen Sprachen		
c	[s]	City
	[k]	Computer, Couch
ch	[ʃ]	Chance, Chef
j	[dʒ]	Jeans, Job
ph	[f]	Alphabet, Strophe

Konsonantenverbindungen		
ch	[ç]	nicht, rechts, gleich, Bücher
	[x]	acht, noch, Besuch, auch
	[k]	Chaos, sechs
ng	[ŋ]	langsam, Anfang
nk	[ŋk]	danke, Schrank
qu	[kv]	Qualität
sch	[ʃ]	Tisch, schön
-t- vor -ion	[ts]	Lektion, Situation

am Wortanfang / am Silbenanfang		
st	[ʃt]	stehen, verstehen
sp	[ʃp]	sprechen, versprechen

§ 4 Der Wortakzent

1. Der Akzent im Wort

Der Wortakzent ist in deutschen Wörtern immer auf der Stammsilbe.

gehen, kommen, Deutschbuch, Küche

Der Wortakzent in nicht-deutschen Wörtern ist auf der zweitletzten oder auf der letzten Silbe.

Computer, telefonieren, Polizei, Dialog, Hotel

2. Der Wortakzent: kurz oder lang?

Akzentvokal	Regel
langer Vokal [a]	**1. Vokal + h** *sehr, zehn, Jahre, Zahl* **2. Vokal + Vokal** *Boot, Tee, Lied, Eis* **3. Wortstamm-Vokal + 1 Konsonant** *gut, Weg, geben, haben*
kurzer Vokal [a]	**1. Vokal + Doppelkonsonant** *kommen, Wasser, Gruppe, bitte* **2. Vokal + 2 oder 3 Konsonanten** *ich, ist, richtig, ganz, kurz*

II Das Wort

Das Verb

§ 5 Der Infinitiv = die Grundform des Verbs

*ess**en**, heiß**en**, komm**en**, geh**en***

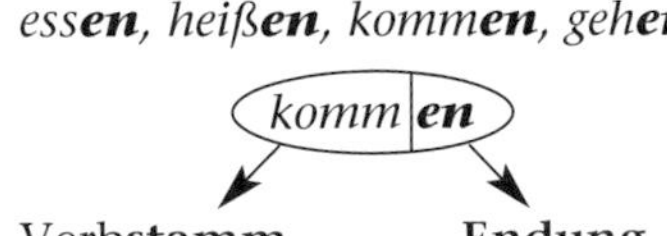

Im Wörterbuch stehen die Verben immer im Infinitiv.

§ 6 Die Konjugation im Präsens

Singular	Verbstamm + Endung
1. Person: **ich**	komm e
2. Person: **du**	komm-**st**
3. Person: **sie / er / es /man**	komm-**t**
Plural	
1. Person: **wir**	komm-**en**
2. Person: **ihr**	komm-**t**
3. Person: **sie / Sie**	komm-**en**

§ 7 Unregelmäßige Verben im Präsens

1. sein / haben

	sein	haben	werden
ich	bin	habe	werde
du	bist	hast	wirst
sie / er / es / man	ist	hat	wird
wir	sind	haben	werden
ihr	seid	habt	werdet
sie / Sie	sind	haben	werden

2. Verben mit Vokalwechsel in der 2. und 3. Person Singular

Vokalwechsel e → i, e → ie

	2. Person Singular	3. Person Singular
sprechen	**du** sprichst	**sie / er / es / man** spricht
nehmen	du nimmst	sie / er / es / man nimmt
sehen	du siehst	sie / er / es / man sieht
lesen	du liest	sie / er / es / man liest
geben	du gibst	sie / er / es / man gibt
essen	du isst	sie / er / es / man isst
helfen	du hilfst	sie / er / es / man hilft

Vokalwechsel a → ä

	2. Person Singular	3. Person Singular
schlafen	**du** schläfst	**sie / er / es / man** schläft
tragen	du trägst	sie / er / es / man trägt
fahren	du fährst	sie / er / es / man fährt

§ 8 Trennbare und nicht-trennbare Verben

1. Trennbare Verben

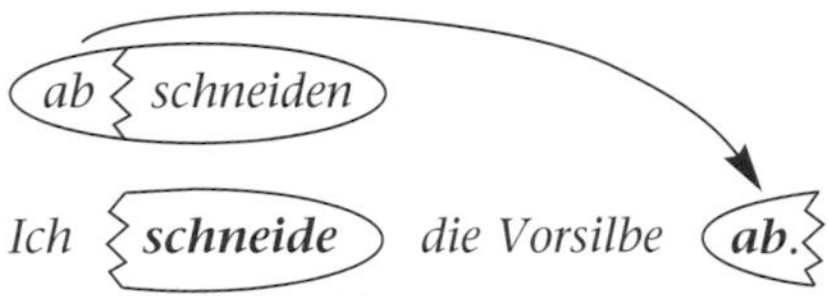

*Ruth **holt** Anna vom Kindergarten **ab**.*

*Thomas **steht** um 7 Uhr **auf** und macht das Frühstück.*

Vor-	Stammsilbe
ab-	holen
ab-	stellen
auf-	stehen
auf-	hängen
auf-	räumen

Vor-	Stammsilbe
an-	machen
an-	ziehen
aus-	sehen
aus-	machen
ein-	packen
ein-	kaufen

Vor-	Stammsilbe
mit-	gehen
zu-	hören
vor-	lesen

Trennbare Verben:	Wortakzent ●○○○	vorlesen
Untrennbare Verben:	Wortakzent ○●○	erklären

2. Nicht-trennbare Verben

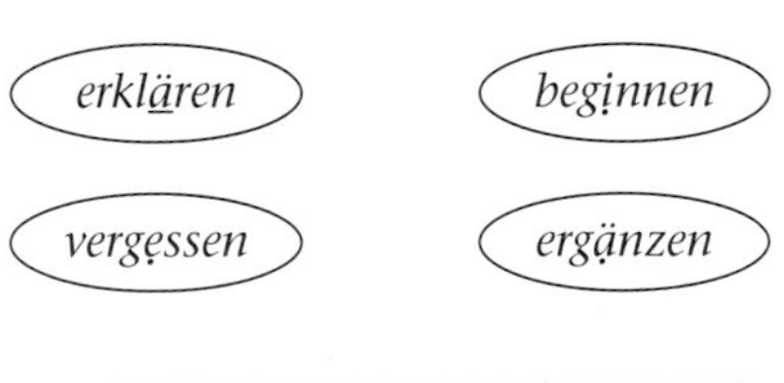

Die Lehrerin erklärt die Verben.

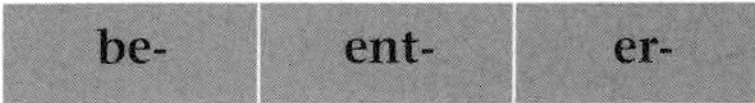

ge-	miss-

ver-	zer-	wider-

§ 9 Der Imperativ

1. Der Gebrauch des Imperativs

Setzen Sie sich doch, bitte!

Die Bitte:	**Gib** mir das Wörterbuch, *bitte*!
Der Tipp:	**Kauf** ihnen *doch* ein paar Süßigkeiten!
Der Befehl:	**Gib ihr** *sofort* das Feuerzeug!
Das Verbot:	**Spiel** *nicht* mit dem Feuer!

2. Die Form des Imperativs

Infinitiv	du	ihr	Sie
kommen	Komm -!	Komm -t!	Komm -en Sie!
kaufen	Kauf -!	Kauf -t!	Kauf -en Sie!
▶ geben	Gib -!	Geb -t!	Geb -en Sie!

3. Position im Satz

	Position 1	Position 2
Per du:	*Komm*	*doch mal zu einem Kaffee!*
Per Sie:	*Schauen*	*Sie doch mal bei den Milchprodukten!*

4. Imperativ bei trennbaren Verben

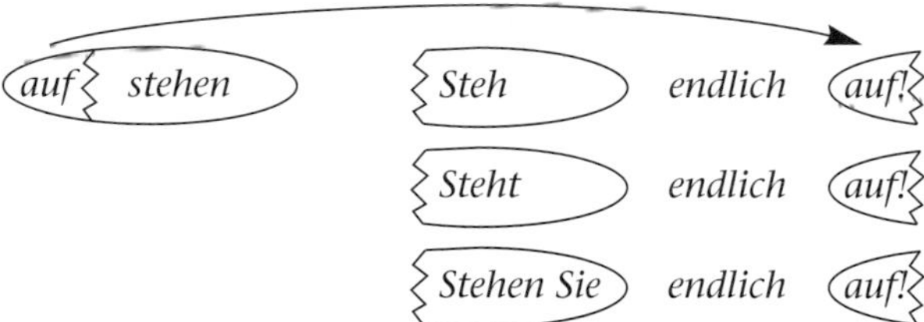

§ 10 Die Modalverben

Im Deutschen gibt es 6 Modalverben:

dürfen **können** **möchten** **müssen** **sollen** **wollen**

1. Position im Satz

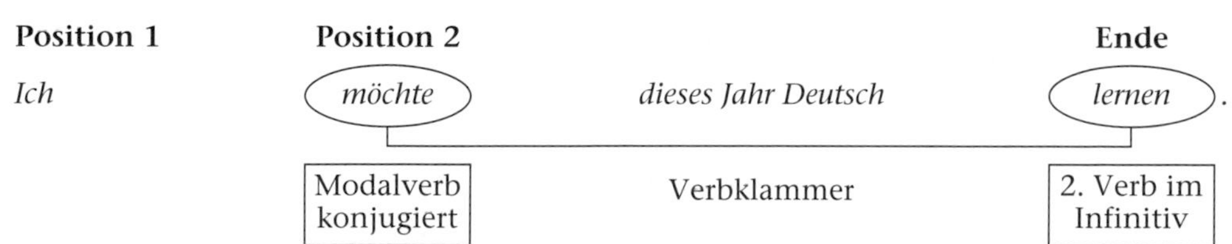

2. Die Bedeutung der Modalverben

dürfen	können	möchten (mögen)	müssen	sollen	wollen
Erlaubnis und Verbot	Möglichkeit	Wunsch	Notwendigkeit	Angebot/ Vorschlag	starker Wunsch/ Wille
Ich **darf** heute lange schlafen.					
Ich **darf** heute **nicht** lange schlafen.	Ich **kann** schlafen oder fernsehen.	Ich **möchte** jetzt schlafen.	Ich **muss** mehr schlafen.	Ich **soll** schlafen.	Ich **will** schlafen.

3. Konjugation der Modalverben im Präsens

	müssen	sollen	wollen	können	dürfen	möchten
ich	muss	soll	will	kann	darf	möchte
du	musst	sollst	willst	kannst	darfst	möchtest
sie/er/es/man	muss	soll	will	kann	darf	möchte
wir	müssen	sollen	wollen	können	dürfen	möchten
ihr	müsst	sollt	wollt	könnt	dürft	möchtet
sie/Sie	müssen	sollen	wollen	können	dürfen	möchten

4. Konjugation der Modalverben im Präteritum

	müssen	sollen	wollen	können	dürfen	möchten
ich	musste	sollte	wollte	konnte	durfte	mochte
du	musstest	solltest	wolltest	konntest	durftest	mochtest
sie/er/es/man	musste	sollte	wollte	konnte	durfte	mochte
wir	mussten	sollten	wollten	konnten	durften	mochten
ihr	musstet	solltet	wolltet	konntet	durftet	mochtet
sie/Sie	mussten	sollten	wollten	konnten	durften	mochten

§11 Das Perfekt

1. Position im Satz

„sein" und „haben" sind **Hilfsverben**.
Sie werden konjugiert.
„gefahren", „gefragt" und „geschickt" sind Verben im **Partizip Perfekt**.
→ **Perfekt = Hilfsverb + Partizip Perfekt**

2. Die Hilfsverben im Perfekt: „sein" oder „haben"?

Hilfsverb **„haben"**:
Die meisten Verben bilden das Perfekt mit „haben".

Hilfsverb **„sein"**:
a) Verben der Bewegung (z. B. *gehen, fliegen, kommen*) und der Veränderung (z. B. *aufwachen, losgehen*)
b) die Verben **sein**, **bleiben** und **werden**

	sein	haben
ich	bin	habe
du	bist	hast
sie/er/es/man	ist	hat
wir	sind	haben
ihr	seid	habt
sie/Sie	sind	haben

3. Die Partizip-Perfekt-Formen

regelmäßige Verben

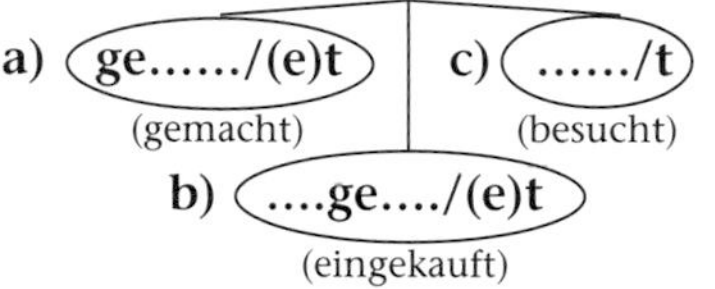

unregelmäßige Verben

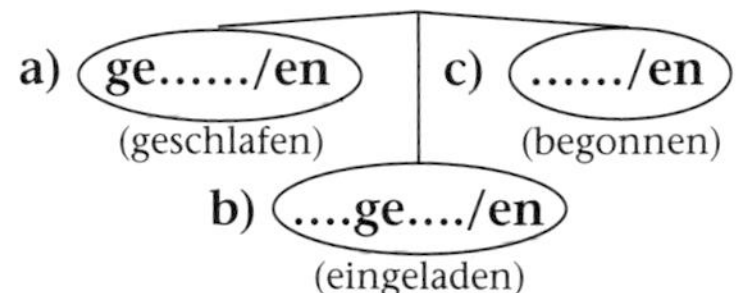

a) **Normale Verben** (z. B. *machen, warten, lernen, essen*)
▶ regelmäßig: *Wir sind direkt ins Hotel gefahren.*
unregelmäßig: *Ralf ist im Hotel geblieben.*

b) **Trennbare Verben** (z. B. *aufwachen, losgehen, aufstehen*)
▶ regelmäßig: *Der Bus hat uns zu spät abgeholt.*
unregelmäßig: *Wir sind dann allein losgegangen.*

c) **Nicht-trennbare Verben** (z. B. *besuchen, beginnen, ergänzen*)
▶ regelmäßig: *Wir haben in Las Vegas eine Show besucht.*
unregelmäßig: *Unsere Weltreise hat gut begonnen.*

Regelmäßig oder unregelmäßig?

Bei den unregelmäßigen Verben ist der **Stamm** nicht immer gleich.

sprechen

ich spreche	ich sprach	ich habe gesprochen
du sprichst	du sprachst	du hast gesprochen
*er spricht	er sprach	er hat gesprochen

*Schlagen Sie die Form am besten in der 3. Person Singular nach (er spricht, er sprach, er hat gesprochen).

12 Das Präteritum

Die Hilfsverben im Präteritum

	sein	haben	werden
ich	war	hatte	wurde
du	warst	hattest	wurdest
sie/er/es/man	war	hatte	wurde
wir	waren	hatten	wurden
ihr	wart	hattet	wurdet
sie/Sie	waren	hatten	wurden

... als ich jung war, hatte ich einen Alfa Romeo.

§13 Das Verb und seine Ergänzungen

Papa, *kaufst* *du* *uns* *ein Eis?*

Verb + Ergänzungen

Verben mit einer Nominativ-Ergänzung (Subjekt)
(schwimmen, schlafen, arbeiten etc.)

Verben mit einer Nominativ- und einer Akkusativ-Ergänzung
(trinken, essen, sehen, hören, lesen etc.)

Verben mit einer Nominativ- und einer Dativ-Ergänzung
(helfen, gefallen, danken etc.)

Verben mit einer Nominativ- und einer Akkusativ- und einer Dativ-Ergänzung
(schreiben, kaufen, geben, nehmen, zeigen etc.)

Verben mit einer Präpositional-Ergänzung
(danken für, bitten um, wohnen in, kommen aus, erzählen von etc.)

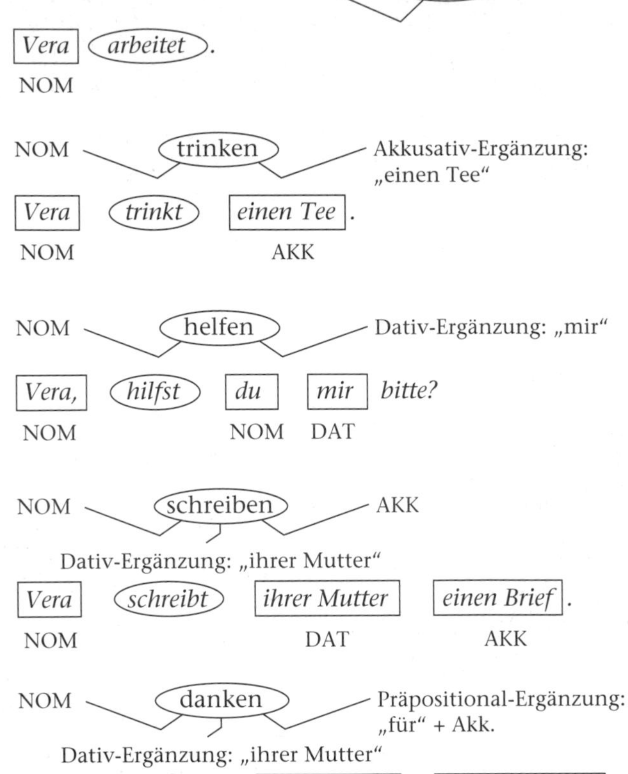

Das Nomen

§14 Das Nomen und der Artikel

Artikel	feminin ♀	maskulin ♂	neutrum
bestimmter Artikel	**die** Küche	**der** Herd	**das** Handy
unbestimmter Artikel	**eine** Küche	**ein** Herd	**ein** Handy
negativer Artikel	**keine** Küche	**kein** Herd	**kein** Handy

▶ Manchmal entspricht der Artikel dem natürlichen Geschlecht:
die Frau, die Kellnerin, die Brasilianerin
der Mann, der Kellner, der Brasilianer

1. Genusregeln

feminine Nomen		maskuline Nomen		neutrale Nomen	
Endung:		Endung:		**Ge-:**	das Genus
-e	die Lampe	**-ant**	der Elefant		das Gespräch
-heit	die Freiheit	**-ent**	der Student	Endung:	
-keit	die Möglichkeit	**-eur**	der Friseur	**-chen**	das Mädchen
-ung	die Wohnung	**-ist**	der Tourist	**-zeug**	das Spielzeug
-tät	die Universität				
-ion	die Million				
-ie	die Energie	**Wochentage:**			
		der Montag, der Dienstag ...			
Früchte:					
die Banane		**Jahreszeiten:**			
aber: der Apfel,		der Frühling			
der Pfirsich					
		Alkohol:			
		der Wein, der Wodka			
		aber: das Bier			

2. Nomen, die ohne Artikel benutzt werden

Namen:	Hallo Nikos! Sind Sie Frau Bauer?
Berufe:	Er ist Fahrer von Beruf. Ich bin Lehrerin.
Unbestimmte Stoffangaben:	Nehmen Sie Zucker oder Milch? – Zucker, bitte.
Städte und Länder:	*Kommen Sie aus Italien? – Ja, ich komme aus Rom.* Ich fahre nach + (Land/Stadt ohne Artikel). Ich komme aus + (Land/Stadt ohne Artikel).
! Länder mit Artikel	*Ich fahre in die Türkei. Ich fahre in den Iran.* *Ich komme aus der Türkei. Ich komme aus dem Iran.* Ich fahre in + (Artikel im Akkusativ + Land). Ich komme aus + (Artikel im Dativ + Land).

die Schweiz	**der** Iran	**die** Vereinigten Staaten / die USA
die Türkei	der Irak	die Niederlande
	der Sudan	die Philippinen
...	...	...

§15 Das Nomen im Singular und Plural

Der Artikel im Plural heißt „**die**".

die Lampe, -n = **die** Lampen
der Schrank, ¨-e = **die** Schränke
das Bett, -en = **die** Betten

-n / -en	-e / ¨-e	-s	-er / ¨-er	- / ¨-
die Lampe, -n	der Apparat, -e	das Foto, -s	das Ei, -er	der Computer, -
die Tabelle, -n	der Tisch, -e	das Büro, -s	das Bild, -er	der Fernseher, -
die Flasche, -n	der Teppich, -e	das Studio, -s	das Kind, -er	der Staubsauger, -
das Auge, -n	das Feuerzeug, -e	das Kino, -s	das Fahrrad, ¨-er	der Fahrer, -
die Regel, -n	das Problem, -e	das Auto, -s	das Glas, ¨-er	das Zimmer, -
die Nummer, -n	das Stück, -e	das Sofa, -s	das Haus, ¨-er	das Theater, -
die Wohnung, -en	der Stuhl, ¨-e	der Kaugummi, -s	das Land, ¨-er	der Vater, ¨-
die Lektion, -en	der Ton, ¨-e	der Lolli, -s	das Buch, ¨-er	der Sessel, -
die Süßigkeit, -en	die Hand, ¨-e	der Lerntipp, -s	das Wort, ¨-er	der Flughafen, ¨-
…	…	der Luftballon, -s	der Mann, ¨-er	der Bruder, ¨-
		…	…	…

▶ Aus **a**, **o**, **u** wird im Plural oft **ä**, **ö**, **ü**: der Mann, ¨-er (= *die Männer*). Von einigen Nomen gibt es keine Singular-Form (zum Beispiel: *die Leute*) oder keine Plural-Form (zum Beispiel: *der Zucker, der Reis*).

§16 Die Kasus

1. Deklination des bestimmten Artikels

Singular	feminin	maskulin	neutrum
Nominativ	**die** Küche	**der** Herd	**das** Handy
Akkusativ	**die** Küche	**den** Herd	**das** Handy
Dativ	**der** Küche	**dem** Herd	**dem** Handy
Plural			
Nominativ	**die** Küchen/Herde/Handys		
Akkusativ	**die** Küchen/Herde/Handys		
Dativ	**den** Küchen/Herde**n**/Handys		

__Der__ Igel ist im Garten.
Sofie findet __den__ Igel.
Sofie spricht mit __dem__ Igel.

2. Deklination des unbestimmten Artikels

Singular	feminin	maskulin	neutrum
Nominativ	**eine** Küche	**ein** Herd	**ein** Handy
Akkusativ	**eine** Küche	**einen** Herd	**ein** Handy
Dativ	**einer** Küche	**einem** Herd	**einem** Handy
Plural			
Nominativ	- Küchen	- Herde	- Handys
Akkusativ	- Küchen	- Herde	- Handys
Dativ	- Küchen	- Herde**n**	- Handys

▶ Der unbestimmte Artikel im Plural heißt Nullartikel.

3. Deklination des Negativartikels

Singular	feminin	maskulin	neutrum
Nominativ	**keine** Küche	**kein** Herd	**kein** Handy
Akkusativ	**keine** Küche	**keinen** Herd	**kein** Handy
Dativ	**keiner** Küche	**keinem** Herd	**keinem** Handy
Plural			
Nominativ	**keine** Küchen/Herde/Handys		
Akkusativ	**keine** Küchen/Herde/Handys		
Dativ	**keinen** Küchen/Herden/Handys		

Die Artikelwörter und Pronomen

17 Die Personalpronomen

		Nominativ	Akkusativ	Dativ
Singular	1. Person	ich	mich	mir
	2. Person	du	dich	dir
	3. Person	sie	sie	ihr
		er	ihn	ihm
		es	es	ihm
Plural	1. Person	wir	uns	uns
	2. Person	ihr	euch	euch
	3. Person	sie	sie	ihnen
Formelle Anrede		Sie	Sie	Ihnen

Hallo, Nikos! Wir sind hier!
Hallo, ihr beiden! Wie geht es euch?
Danke, uns geht es gut!

18 Die Possessiv-Artikel

1. Formen

	als Artikel
ich	**mein** Fahrrad
du	**dein** Fahrrad
sie	**ihr** Fahrrad
er	**sein** Fahrrad
es	**sein** Fahrrad
wir	**unser** Fahrrad
ihr	**euer** Fahrrad
sie	**ihr** Fahrrad
Sie	**Ihr** Fahrrad

2. Deklination von „mein-"

Singular	feminin	maskulin	neutrum
Nominativ	meine Tante	mein Onkel	mein Kind
Akkusativ	meine Tante	meinen Onkel	mein Kind
Dativ	meiner Tante	meinem Onkel	meinem Kind
Plural			
Nominativ	meine Tanten/Onkel/Kinder		
Akkusativ	meine Tanten/Onkel/Kinder		
Dativ	meinen Tanten/Onkeln/Kindern		

§19 Die Artikel als Pronomen

Die bestimmten und unbestimmten Pronomen ersetzen bekannte Namen oder Nomen. Man dekliniert sie genauso wie die Artikel. → § 16

Der Tisch ist doch toll.	***Den** finde ich nicht so schön.*
Wie findest du das Sofa?	***Das** ist zu teuer.*
Schau mal, die Stühle!	*Ja, **die** sind nicht schlecht.*
Wir brauchen noch eine Stehlampe.	*Wie findest du denn **die** da vorne?*
Wo finde ich Hefe?	*Tut mir Leid, wir haben **keine** mehr. Die kommt erst morgen wieder rein.*
Hast du einen Computer?	*Ja, ich habe **einen**.*
Hat Tom ein Fahrrad?	**!** *Ich glaube, er hat **eins**.*
	! *Nein, er hat **keins**.*

Die Adjektive

§20 Das Adjektiv im prädikativen Gebrauch

*Die Stühle sind **bequem**.*
*Den Teppich finde ich **langweilig**.*
*Ich finde die Film-Tipps **interessant**.*
*Als Lokführer muss man **flexibel** sein.*

Der Sessel ist bequem!

Das Gegenteil
groß ≠ klein | interessant ≠ langweilig | teuer ≠ billig | bequem ≠ unbequem

§21 Die Deklination der Adjektive

1. Die Adjektivdeklination, Schritt für Schritt

1. Frage: Zu welcher **Gruppe*** gehört das Adjektiv?
2. Frage: **Genus/Numerus**: Ist das Nomen maskulin, feminin oder neutrum? Ist es Singular/Plural?
3. Frage: **Kasus**: Steht das Nomen im Nominativ, Akkusativ oder Dativ?

*** Die Gruppen 1–3:**

1. Bestimmter Artikel	+ Adjektiv + Nomen
2. Unbestimmter Artikel	+ Adjektiv + Nomen
3. Kein Artikel	+ Adjektiv + Nomen

Gruppe 1: Bestimmter Artikel* + Adjektiv + Nomen

*Oder: dieser, jener, mancher, welcher.
Plural: alle, beide, sämtliche

Singular	feminin	maskulin	neutrum
Nominativ	die rote Rose	der blaue Schuh	das schöne Haus
Akkusativ	die rote Rose	den blauen Schuh	das schöne Haus
Dativ	der roten Rose	dem blauen Schuh	dem schönen Haus

Plural	feminin	maskulin	neutrum
Nominativ	die roten Rosen	die blauen Schuhe	die schönen Häuser
Akkusativ	die roten Rosen	die blauen Schuhe	die schönen Häuser
Dativ	den roten Rosen	den blauen Schuhen	den schönen Häusern

Gruppe 2: Unbestimmter Artikel* + Adjektiv + Nomen

*Oder: kein, mein, dein, sein, ihr, unser, euer, ihr (im Singular)

Singular	feminin	maskulin	neutrum
Nominativ	(k)eine rote Rose	(k)ein blauer Schuh	(k)ein schönes Haus
Akkusativ	(k)eine rote Rose	(k)einen blauen Schuh	(k)ein schönes Haus
Dativ	(k)einer roten Rose	(k)einem blauen Schuh	(k)einem schönen Haus

Plural	feminin	maskulin	neutrum
Nominativ	rote Rosen	blaue Schuhe	schöne Häuser
Akkusativ	rote Rosen	blaue Schuhe	schöne Häuser
Dativ	roten Rosen	blauen Schuhen	schönen Häusern

Gruppe 3: Kein Artikel* + Adjektiv + Nomen

*Oder: einige, etliche, mehrere, zwei, drei etc.

Singular	feminin	maskulin	neutrum
Nominativ	heiß**e** Schokolade	frisch**er** Fisch	warm**es** Wetter
Akkusativ	heiß**e** Schokolade	frisch**en** Fisch	warm**es** Wetter
Dativ	heiß**er** Schokolade	frisch**em** Fisch	warm**em** Wetter

Plural	feminin	maskulin	neutrum
Nominativ		schön**e** Ferien	
Akkusativ		schön**e** Ferien	
Dativ		schön**en** Ferien	

§22 Die Steigerung der Adjektive

1. Bildung der Steigerungsformen

Komparativ von „alt“

Wussten Sie, dass die Menschen in Japan älter *werden als anderswo?*

Sie essen am gesündesten.

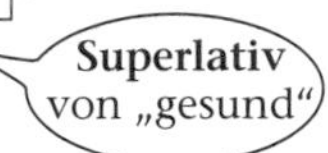

Der Mann ist ***alt.***

Er ist ***älter als*** *sein Bruder.*

Er ist ***der älteste*** *der drei Brüder.*
Er ist ***am ältesten.***

2. Die Komparativ- und Superlativ-Formen

▶ Bei Adjektiven auf -t, -d, -tz, -z, -sch, -ss steht ein „e" vor der Endung: *bekanntesten*

	Positiv ▶ gleich ... wie	Komparativ ▶ ...-er + als	Superlativ ▶ am + ...-sten
Regelmäßige Formen, z. B.	schnell weiß dauerhaft bekannt normal	schneller weißer dauerhafter bekannter normaler	am schnellsten am weißesten am dauerhaftesten am bekanntesten am normalsten
Formen mit Umlaut, z. B.	groß gesund lang alt	größer gesünder länger älter	am größten am gesündesten am längsten am ältesten
Unregelmäßige Formen, z. B.	gut viel gern hoch nah	besser mehr lieber höher näher	am besten am meisten am liebsten am höchsten am nächsten

Die Adverbien

23 Zeit-, Häufigkeits- und Ortsangaben

1. Zeitangaben (Wann?/Wie lange?)

heute	morgen	gestern	jetzt	lange	gleich	...

Hast du heute Zeit? – Nein, aber morgen.

2. Häufigkeitsangaben (Wie häufig?)

nie	selten	manchmal	oft	meistens	immer	fast nie	immer öfter	fast immer

3. Orts- und Richtungsangaben

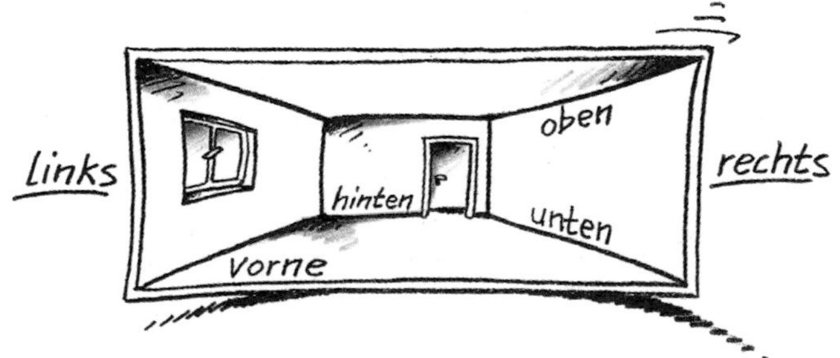

Wo finde ich den Kaffee?
Im nächsten Gang ***rechts oben.***
Und die Milch finden Sie ***gleich hier vorne.***
Wo finde ich ***hier*** *Computer? – Im dritten Stock. Fragen Sie* ***dort*** *einen Verkäufer.*
Ich steige die Treppe ***hinauf.***

Die Präpositionen

§24 Die wichtigsten Präpositionen

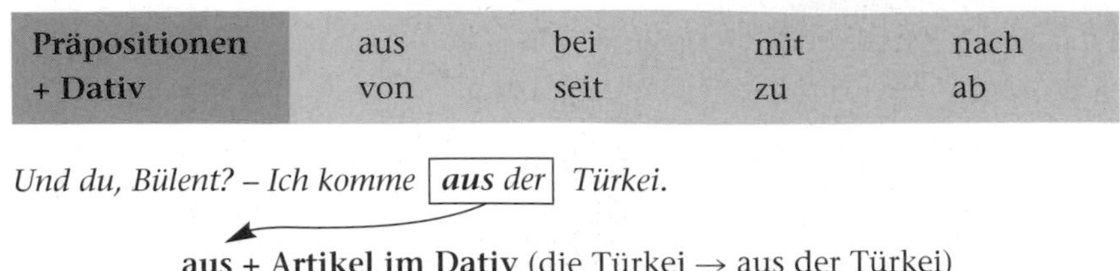

Präpositionen + Dativ	aus	bei	mit	nach
	von	seit	zu	ab

Und du, Bülent? – Ich komme ***aus** der* *Türkei.*

aus + Artikel im Dativ (die Türkei → aus der Türkei)

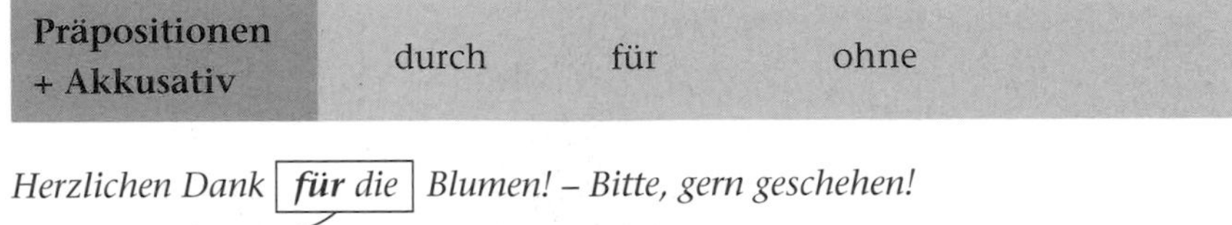

Präpositionen + Akkusativ	durch	für	ohne

Herzlichen Dank ***für** die* *Blumen! – Bitte, gern geschehen!*

für + Artikel im Akkusativ (die Blumen → für die Blumen)

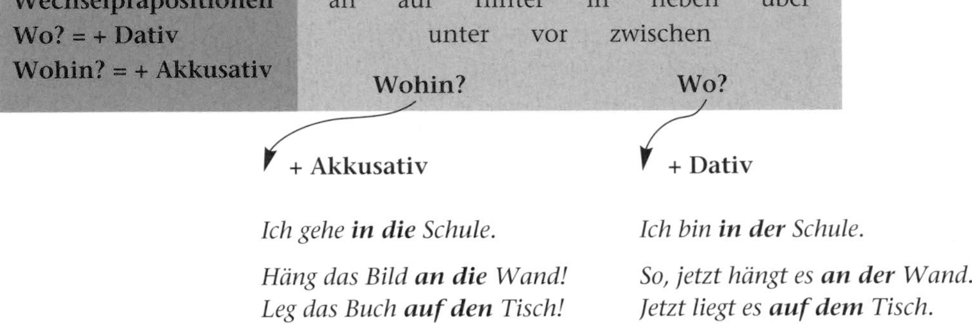

Wechselpräpositionen Wo? = + Dativ Wohin? = + Akkusativ	an auf hinter in neben über unter vor zwischen

Wohin?	Wo?
+ Akkusativ	**+ Dativ**

Ich gehe ***in die*** *Schule.*

Häng das Bild ***an die*** *Wand!*
Leg das Buch ***auf den*** *Tisch!*

Ich bin ***in der*** *Schule.*

So, jetzt hängt es ***an der*** *Wand.*
Jetzt liegt es ***auf dem*** *Tisch.*

§25 Die Präpositionen – Bedeutung

1. Präpositionen: Ort oder Richtung

Woher?	Wo?	Wohin?
aus + Dativ / von + Dativ	**bei + Dativ / in + Dativ**	**nach + Dativ / zu + Dativ / in + Akkusativ**
Ruth holt Anna **vom** Kindergarten ab. Bülent kommt **aus der** Türkei.	Sie ist Flugbegleiterin **bei der** Lufthansa. Kawena wohnt **in der** Schleißheimer Straße.	Martina fliegt oft **nach** Asien. Luisa möchte **zum** Mauermuseum. Er fährt **in die** Schweiz.

Die Wechselpräpositionen

Auf die Frage **Wo** steht / ist ...? → Wechselpräposition + Dativ
Auf die Frage **Wohin** geht / legt ...? → Wechselpräposition + Akkusativ

auf

über

unter

hinter

vor

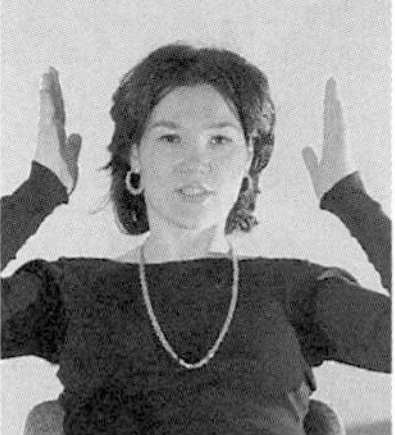

zwischen

neben

an

in

*Otto geht **unter den** Teppich.* *Jetzt ist Otto **unter dem** Teppich.*

2. Präpositionen: Zeit

am + Tag	Was möchtest du **am** Samstag machen?
am + Datum	Vera kommt **am** 12. Februar.
um + Uhrzeit	Der Film beginnt **um** 20 Uhr.
im + Monat	Julia hat **im** Juli Urlaub.
ab + Datum	Sie ist **ab (dem)** 24. August in Graz.
bis (zum) + Datum	Sie ist **bis (zum)** 31. August in Graz.
von ... bis + Tage	Sie hat **von** Montag **bis** Mittwoch Proben.
von ... bis + Uhrzeiten	Wir haben **von** 9 **bis** 13.30 Uhr Unterricht.
seit + Zeitangabe	Diana lernt **seit** sechs Monaten Deutsch.

3. Die Präpositionen für / von / mit / ohne

für + AKK — *Die Blumen sind **für** dich.*
von + DAT — *Sie sind **von** mir.*
mit + DAT — *Ich möchte **mit** dir ins Kino gehen.*
ohne + AKK — ***Ohne** dich will ich nicht leben.*

26 Die Präpositionen – Kurzformen

Präposition + Artikel	Kurzform
an + dem	am
an + das	ans
bei + dem	beim
in + dem	im

Präposition + Artikel	Kurzform
in + das	ins
von + dem	vom
zu + der	zur
zu + dem	zum

Die Konjunktionen

§27 und / oder / aber

Addition	Ich nehme ein Sandwich **und** ein Bier. Ich esse eine Pizza **und** Vera trinkt einen Apfelsaft.
Alternative	Nimmst du Kaffee **oder** Tee? Nimmst du Milch **oder** möchtest du lieber keine?
Kontrast	Ich trinke Kaffee, **aber** ohne Zucker. Ich habe Geburtstag, **aber** niemand kommt.

§28 wenn / obwohl / weil

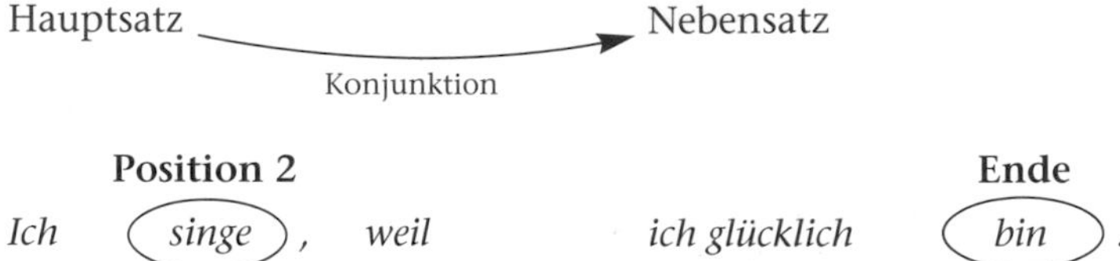

Sie geht spazieren, obwohl es regnet.

Zeit	Wir diskutieren, **wenn** Pause ist.
Bedingung	**Wenn** es regnet, dann gehen wir nicht spazieren.
Grund	Ich singe, **weil** ich glücklich bin.
Gegengrund	Viele junge Leute wohnen bei den Eltern, **obwohl** sie schon arbeiten.

Die Modalpartikeln

§ 29 Die Bedeutungen der Modalpartikeln

Modalpartikeln geben einem Satz einen subjektiven Akzent.

Bitten / Ratschläge freundlich machen
Geben Sie mir **doch mal** einen Tipp. Geh **doch** in einen Verein! Kommen Sie **bitte** mit.

stärker / schwächer machen
Na ja, die Wohnung ist **ganz** okay. Die Wohnung ist **sehr** schön. Schau mal, das Sofa ist **doch** toll!

ungenaue Angaben
Also, ich komme **so um** zehn Uhr. Die Reise kostet **ungefähr** 2000 Euro. **Fast** alle haben hier einen Fernseher. (ca. 95 %.) **Über die Hälfte** hat eine Mikrowelle. Ich bin **etwa** zwei Jahre verheiratet. Ich komme **etwas** später. Er spricht **ein wenig** Deutsch.

Fragen freundlich machen
Hast du **vielleicht** auch Tee? Gebt ihr mir **mal** eine Schachtel Zigaretten?

Interesse zeigen
Wie alt sind **denn** ihre Kinder? Wie geht's Ihnen **denn**? Ist die Wohnung **denn auch** günstig?

Überraschung zeigen
Oh, das ist **aber** nett von dir! **Nein, wirklich**? Aber das ist **doch** nicht möglich!

Negatives freundlich sagen
Das ist **doch** altmodisch. (Ich finde es nicht toll.) Ich finde das Sofa **nicht so** schön. Es ist mir **zu** langweilig. **Wenigstens** ist es nicht so teuer. **Eigentlich** komme ich aus Rostock, aber ...

Die Zahlen

§ 30 Die Kardinalzahlen

0 bis 99			
0 null	10 zehn	20 zwanzig	30 dreißig
1 eins	11 elf	21 einundzwanzig	31 einunddreißig
2 zwei	12 zwölf	22 zweiundzwanzig	32 zweiunddreißig
3 drei	13 dreizehn	23 dreiundzwanzig	…
4 vier	14 vierzehn	24 vierundzwanzig	40 vierzig
5 fünf	15 fünfzehn	25 fünfundzwanzig	50 fünfzig
6 sechs	16 sechzehn	26 sechsundzwanzig	60 sechzig
7 sieben	17 siebzehn	27 siebenundzwanzig	70 siebzig
8 acht	18 achtzehn	28 achtundzwanzig	80 achtzig
9 neun	19 neunzehn	29 neunundzwanzig	90 neunzig

ab 100					
100	(ein)hundert	110	(ein)hundertzehn	1000	(ein)tausend
101	(ein)hunderteins		…	1001	(ein)tausend(und)eins
102	(ein)hundertzwei	200	zweihundert	1010	(ein)tausendzehn
103	(ein)hundertdrei	300	dreihundert	1120	(ein)tausendeinhundertzwanzig
104	(ein)hundertvier	400	vierhundert	1490	(ein)tausendvierhundertneunzig
105	(ein)hundertfünf	500	fünfhundert	5000	fünftausend
106	(ein)hundertsechs	600	sechshundert	10 000	zehntausend
107	(ein)hundertsieben	700	siebenhundert	100 000	(ein)hunderttausend
108	(ein)hundertacht	800	achthundert	1 000 000	eine Million
109	(ein)hundertneun	900	neunhundert	1 000 000 000	eine Milliarde

Die Zahlen von 13 bis 99 liest man von rechts nach links. *Beispiel:*

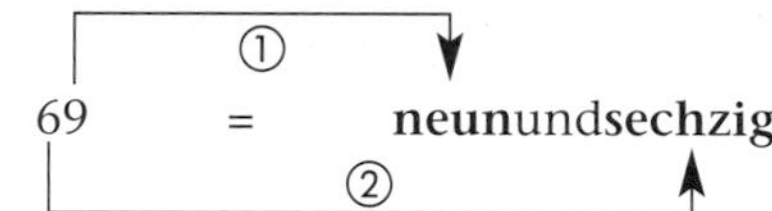

§ 31 Die Ordinalzahlen

die / der / das …		
1. **erste**	7. **siebte**	13. dreizehnte
2. zweite	8. **achte**	…
3. **dritte**	9. neunte	20. zwanzigste
4. vierte	10. zehnte	21. einundzwanzigste
5. fünfte	11. elfte	100. hundertste
6. sechste	12. zwölfte	1000. tausendste

Die Ordinalzahlen bildet man so:

bis 19.:	Kardinalzahl + Endung **„-te"**
ab 20.:	Kardinalzahl + Endung **„-ste"**

§32 Die Zahlwörter

Eine Banane, bitte.

ein / eine	*Eine Banane, bitte.*
viel	*1000 Euro sind viel Geld.*
wenig	*10 Euro sind wenig Geld.*
einmal / zweimal	*Ich gehe zweimal im Monat ins Kino.*

1. Jahreszahlen

Jahreszahlen bis 1099 und ab 2000 spricht man wie Kardinalzahlen.
813 → 8 hundert 13   2010 → 2 tausend 10

Jahreszahlen zwischen 1100 und 1999 spricht man nicht wie Kardinalzahlen, sondern man zählt die Hunderter.
1492 → 14 hundert 92   1999 → 19 hundert 99

Jahreszahlen stehen **ohne** die Präposition „**in**".
Herr Haufiku ist 1969 geboren.
Aber: **Im** Jahr 1997 ist er nach Deutschland gekommen.

2. Zahlen mit Komma

Zahlen mit Komma spricht man so aus:
3,5 → drei Komma fünf
3,52 → drei Komma fünf zwei

3. Prozentzahlen

Prozentzahlen spricht man so aus:
35 % → fünfunddreißig Prozent
3,5 % → drei Komma fünf Prozent
3,52 % → drei Komma fünf zwei Prozent

4. Bruchzahlen

$^1/_2$ → die Hälfte
$^1/_3$, $^2/_3$ → ein Drittel, zwei Drittel
$^1/_4$, $^3/_4$ → ein Viertel, drei Viertel

5. Preise

Preise spricht man so aus:
9,35 € → Neun Euro fünfunddreißig
825,99 € → Achthundertfünfundzwanzig Euro neunundneunzig

§ 33 Datum und Uhrzeit

Uhrzeit	in der Umgangssprache
10.00 Uhr	(genau) zehn
10.05 Uhr	fünf nach zehn
10.10 Uhr	zehn nach zehn
10.15 Uhr	Viertel nach zehn
10.20 Uhr	zwanzig nach zehn
10.25 Uhr	fünf vor halb elf
10.30 Uhr	halb elf
10.35 Uhr	fünf nach halb elf
10.40 Uhr	zwanzig vor elf
10.45 Uhr	Viertel vor elf
10.50 Uhr	zehn vor elf
10.55 Uhr	fünf vor elf
11.00 Uhr	(genau) elf

Wie spät ist es, bitte?

Es ist fünf nach zehn.

Wann beginnt das Fest?

Es beginnt um halb elf.

Schon zehn vor elf!

Datum	Heute ist ...	Ich komme ...
1. 1.	**der** erste Januar	**am** erste**n** Januar
2. 2.	**der** zweite Februar	**am** zweite**n** Februar
3. 3.	**der** dritte März	**am** dritte**n** März
4. 4.	**der** vierte April	**am** vierte**n** April
5. 5.	**der** fünfte Mai	**am** fünfte**n** Mai
6. 6.	**der** sechste Juni	**am** sechste**n** Juni
7. 7.	**der** siebte Juli	**am** siebte**n** Juli
8. 8.	**der** achte August	**am** achte**n** August
9. 9.	**der** neunte September	**am** neunte**n** September
10. 10.	**der** zehnte Oktober	**am** zehnte**n** Oktober
11. 11.	**der** elfte November	**am** elfte**n** November
12. 12.	**der** zwölfte Dezember	**am** zwölfte**n** Dezember

Mein Geburtstag ist am sechsten Januar und heute ist erst der dritte. Noch dreimal schlafen also ...

Die Wortbildung

§34 Komposita

Nomen + Nomen	Adjektiv + Nomen	Verb + Nomen
die Kleider (Pl.) + der Schrank → **der** Klei**derschrank**	hoch + das Bett → **das** Hoch**bett**	schreiben + der Tisch → **der** Schreib**tisch**
die Wolle + der Teppich → **der** Woll**teppich**	spät + die Vorstellung → **die** Spät**vorstellung**	stehen + die Lampe → **die** Steh**lampe**

Das Grundwort steht am Ende und bestimmt den Artikel. *der Schrank – **der** Kleider**schrank***

Das Bestimmungswort (am Anfang) hat den Wortakzent. *der Kl**ei**derschrank*

Einige Komposita brauchen ein „s“ dazwischen. *der Geburtstag, das Lieblingsessen*

§35 Vorsilben und Nachsilben

1. Die Wortbildung mit Nachsilben

-isch für Sprachen:
*England – Engl**isch**, Indonesien – Indones**isch**, Japan – Japan**isch**, Portugal – Portugies**isch***

-in für weibliche Berufe und Nationalitäten:
*der Arzt – die Ärzt**in**, der Pilot – die Pilot**in**, der Kunde – die Kund**in** …*
*der Spanier – die Spanier**in**, der Japaner – die Japaner**in**, der Portugiese – die Portugies**in***

-isch / **-ig** / **-lich** für Adjektive:
*prakt**isch**, richt**ig**, günst**ig**, freund**lich***

-keit / **-ung** / **-ion** für Nomen:
*die Sehenswürdig**keit**, die Möglich**keit**, die Erfahr**ung**, die Veranstalt**ung**, die Informat**ion***

2. Die Wortbildung mit Vorsilben

un- als Negation bei Adjektiven:

praktisch	–	***un**praktisch*	*≈ nicht praktisch*
bequem	–	***un**bequem*	*≈ nicht bequem*

Viele Adjektive negiert man mit **nicht**, z. B. *nicht teuer, nicht billig, nicht viel …*

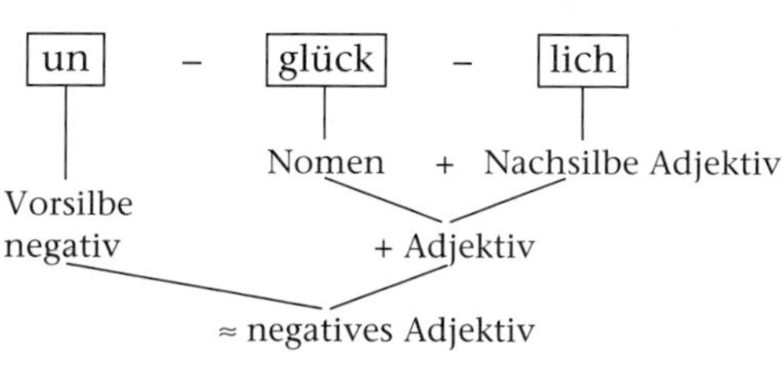

III Der Satz

§36 Der Aussagesatz

Im Aussagesatz steht das Verb auf Position 2.

Position 1	Position 2	
Das Sofa	*finde*	*ich* *toll.* Subjekt
Ich Subjekt	*kaufe*	*doch kein Sofa für 999 Euro!*
Heute	*kaufe*	*ich* *euch kein Eis.* Subjekt
Andrea und Petra Subjekt	*arbeiten*	*auch bei TransFair.*

▶ Es gibt auch kurze Sätze ohne Subjekt und Verb: *Woher kommst du? –* ***Aus Australien.***
Was möchten Sie trinken? – ***Einen Apfelsaft, bitte.***

§37 Der Fragesatz

Es gibt **W-Fragen**

Woher kommst du?
– Aus ...

und

Ja/Nein-Fragen:

Kommst du aus Italien?
– Ja (, aus Rom).
Nein, aus Spanien.

! In der W-Frage steht das Verb auf Position 2, in der Ja/Nein-Frage steht das Verb auf Position 1.

Position 1	Position 2		
Woher	*kommst*	*du* ?	**W-Frage**
Kommst	*du*	*aus Australien?*	**Ja/Nein-Frage**

§38 Der Imperativ-Satz

! Im Imperativ-Satz steht das Verb auf Position 1.

per du — **Position 1**

Schau	*doch mal ins Wörterbuch!*
Bestell	*doch eine Gulaschsuppe.*
Gebt	*mir mal einen Tipp!*

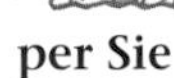

per Sie — **Position 1**

Buchstabieren	*Sie* *bitte!*
Nehmen	*Sie* *doch eine Gulaschsuppe.*
Geben	*Sie* *mir mal einen Tipp.*

Die Wörter ***doch***, ***mal*** oder ***bitte*** machen Imperativ-Sätze höflicher.

§ 39 Die Satzteile

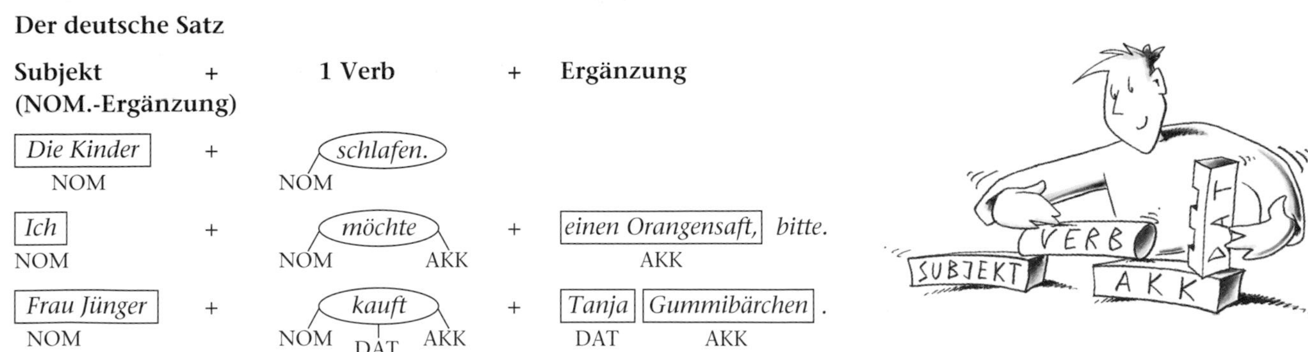

Der deutsche Satz

Subjekt (NOM.-Ergänzung)	+	**1 Verb**	+	**Ergänzung**
Die Kinder (NOM)	+	*schlafen.* (NOM)		
Ich (NOM)	+	*möchte* (NOM, AKK)	+	*einen Orangensaft,* (AKK) *bitte.*
Frau Jünger (NOM)	+	*kauft* (NOM, DAT, AKK)	+	*Tanja* (DAT) *Gummibärchen* (AKK).

§ 40 Das Satzgefüge

Der Hauptsatz

Andrea ***bestellt*** *einen Salat.* — Das Verb steht auf Position 2.

Der Nebensatz

*, **weil** sie keinen großen Hunger **hat**.*

Beginnt mit einer Konjunktion.

Das konjugierte Verb steht am Ende.

Steht immer vor oder nach einem Hauptsatz.

Wir können Sätze kombinieren:

Hauptsatz + Hauptsatz

Roman bestellt eine Suppe. Andrea bestellt einen Salat.

Roman bestellt eine Suppe **und** *Andrea (bestellt) einen Salat.*

Sie lebt in San Francisco. Sie lebt in Irland.

Sie lebt in San Francisco **oder** *(sie lebt) in Irland.*

Er kommt nicht oft zum Unterricht. Er hat gute Noten.

Er kommt nicht oft zum Unterricht, **aber** *er hat gute Noten.*

Hauptsatz + Nebensatz

Andrea bestellt einen Salat. Sie hat keinen großen Hunger.

Andrea bestellt einen Salat, **weil** *sie keinen großen Hunger* ***hat***.

Sie bleiben im Elternhaus. Sie haben genug Geld für eine eigene Wohnung.

Sie bleiben im Elternhaus, **obwohl** *sie genug Geld für eine eigene Wohnung haben.*

Komm mich doch mal besuchen. Wenn du Zeit hast.

Komm mich doch mal besuchen, **wenn** *du Zeit hast.*

Quellenverzeichnis

Umschlagfoto mit Alexander Aleksandrow, Manuela Dombeck, Kay-Alexander Müller und Lilly Zhu: Arts & Crafts, Dieter Reichler, München

Kursbuch:

Seite 1: Fotos A, B, D: Silke Hilpert, München; C: Photo Disc (MHV); E: MEV (MHV)
Seite 4: Foto: Gerd Pfeiffer, München
Seite 11: Cartoon: Erich Rauschenbach, © CCC Arno Koch, Pfaffenhofen
Seite 13: Foto Mitte: © Hong Kong Tourism Board; rechts unten: MHV-Archiv; alle anderen René Grimm, München
Seite 14: Fotos A, D, E: Erna Friedrich, Ismaning; B: Jan Peter Boening © laif, Köln; C, F: Photopress (MHV)
Seite 15: Foto links: irisblende.de/Reinhard Berg (MHV); rechts: René Grimm, München
Seite 24: Tourismus-Zentrale, Hamburg
Seite 25/39/51: Cartoons: Tom Körner, Berlin
Seite 27: Abbildung: Zirkusleute von Karl Hofer, Museum Folkwang, Essen
Seite 28: Foto: irisblende.de/Reinhard Berg (MHV)
Seite 30: Abbildung: DGE-Ernährungskreis © Deutsche Gesellschaft für Ernährung e. V., Frankfurt/Main
Seite 32: Foto Claudia Schiffer: © picture-alliance/Picture Presse/Camera Press (Theodore Wood); Michael Schuhmacher/Steffi Graf: picture-alliance/dpa/epa-Bildfunk; Herbert Grönemeyer + Seite 36: picture-alliance/ZB-Fotoreport
Seite 33: Abbildung oben: Spiegel special Nr. 4/1996 © Spiegel-Verlag, Hamburg; Foto Nr. 4: Agentur superjuli/Juliane Dabs (MHV); alle anderen: Arts & Crafts, Dieter Reichler, München
Seite 36: Liedtext: Horst-Herbert Krause/Diether Krebs, *Musik*: Juergen Triebel © by Edition Accord Musikverlag GmbH, Hamburg
Seite 38: oben: picture-alliance/dpa (Brakemeier); unten 1, 3, 4: MHV-Archiv; 2: Spanisches Fremdenverkehrsamt (Francisco Ontanon); 5: IKEA Deutschland Verkaufs-GmbH & Co.; 6: Kikkoman Trading Europe, Düsseldorf
Seite 41/43: Foto 1, 4: Rubberball Productions/gettyimages (MHV); 2: IT Free/IFA-Images (MHV); 3: image 100 (MHV)
Seite 45/46: alle Fotos: Gerd Pfeiffer
Seite 47: Abbildungen oben: Werner Bönzli, Reichertshausen
Seite 54: Foto links oben: Tourismus-Zentrale Hamburg; Mitte: Siegfried Kuttig, Lüneburg; rechts unten: Erna Friedrich, Ismaning
Seite 55: Foto Mitte links: Helga Schmid, Forstinning; Mitte rechts: Tierbildarchiv Angermayer, Holzkirchen; unten rechts: Siegfried Kuttig, Lüneburg; links: Erna Friedrich, Ismaning

Arbeitsbuch:

Seite 60/61: alle Fotos: Arts & Crafts, Dieter Reichler, München
Seite 62: Foto links Mitte, 2 × rechts oben/links unten: Gerd Pfeiffer, München; Haltestelle: Jens Funke, München; alle anderen Arts & Crafts
Seite 111: Foto: Gerd Pfeiffer, München
Seite 68/84/113: Abbildungen: Werner Bönzli, Reichertshausen
Seite 84: Wörterbuchauszüge aus: Langenscheidts Großwörterbuch Deutsch als Fremdsprache, München 1998
Seite 89: Foto links: Otto Versand Hamburg; rechts: MHV-Archiv
Seite 91: Foto: irisblende.de/Reinhard Berg (MHV)
Seite 93: Flugzeug: DASA, München; Auto: Adam Opel AG, Rüsselsheim; Ballon: Pionier Travel, Stöttham; Bahn: Deutsche Bahn AG, Berlin; alle anderen: Prospektmaterial
Seite 94: alle unten: Arts & Crafts
Seite 95: Gedicht aus Gesammelte Werke von Erich Fried © Verlag Klaus Wagenbach, Berlin
Seite 97: Zeichnungen von Katja Dalkowski aus: Sprechen Hören Sprechen, Max Hueber Verlag
Seite 106: Bild: Städtische Galerie im Lenbachhaus, München

Manfred Tiepmar/Rosa-Maria Dallapiazza/Eduard von Jan, Frankfurt/Main: Seite 17, 18, 29, 31, 47 unten

Wir haben uns bemüht, alle Inhaber von Bild- und Textrechten ausfindig zu machen. Sollten Rechteinhaber hier nicht aufgeführt sein, so ist der Verlag für entsprechende Hinweise dankbar.